Je signe pour la famille Tauzon, au pied de la Petite Maison Blanche, en espérant que la lecture de ce récit véridique vous procure de beaux moments de détente.

20 Août 2003

La Petite Maison blanche

Guy Genest
Madeleine Girard

La Petite Maison blanche

Préface de Michel Barrette

FIDES

Les Éditions Fides remercient *Le Progrès du Saguenay* de leur avoir permis d'utiliser l'image de la Petite Maison blanche dans le cadre de la présente publication.

En couverture :
La Petite Maison blanche, 1996, par Madeleine Girard

Données de catalogage avant publication (Canada)

Genest, Guy, 1943-

La Petite Maison blanche

ISBN 2-7621-2296-1

1. Lavoie-Genest, Jeanne-d'Arc.
2. Inondations - Québec (Province) - Saguenay, Vallée du.
3. Chicoutimi (Québec) - Histoire - 20ᵉ siècle.
4. Chicoutimi (Québec) - Biographies.
1. Girard, Madeleine
11. Titre.

FC2949.C565Z49 2000   971.4'1604'092   C00-941349-9   F1054.5.C565G57 2000

Dépôt légal : 3ᵉ trimestre 2000
Bibliothèque nationale du Québec
© Éditions Fides, 2000

Les Éditions Fides remercient le ministère du Patrimoine canadien du soutien qui leur est accordé dans le cadre du Programme d'aide au développement de l'industrie de l'édition. Les Éditions Fides remercient également le Conseil des Arts du Canada et la Société de développement des entreprises culturelles du Québec (SODEC).

Remerciements

POUR RÉALISER CE LIVRE, il nous a fallu avoir accès à l'album de photos familiales. Nous remercions Jacques, Denise, Marthe, Claude, Marcel, Daniel et Robert Genest, pour leur compréhension.

Un cordial merci à notre neveu Daniel Martin, professeur de littérature et écrivain, ainsi qu'à notre belle-fille Véronique Petit, étudiante en littérature, pour leurs précieux conseils.

Merci à tante Myrto Lavoie-Villeneuve pour avoir accepté de plonger dans ses souvenirs.

Merci à Jean-Marie Gagnon, à Évelyne, Thérèse et Claire Girard, à Isabelle Lévesque et à sa famille, à Nathalie Rousseau, à Madeleine Desormeaux, à Lorraine Lévesque, à Josée Mensales, à Michel Chevalier et à Émile-A. Daoust, pour leur collaboration.

Merci à notre nièce Chantale Morin, pour avoir pris le temps jadis d'enregistrer une entrevue avec sa grand-mère Genest. Nous avons puisé dans cet enregistrement de précieux renseignements.

Merci à nos trois fils, Sylvain, Pierre et Dominique, pour leur soutien.

Merci à Michel Barrette qui a gracieusement accepté de préfacer notre livre.

Enfin, merci aux Éditions Fides pour avoir eu foi en notre projet.

LES AUTEURS

Préface

LORSQUE J'AI APPRIS que le fils de la dame de la *Petite Maison blanche* avait, avec son épouse, écrit l'histoire de cet extraordinaire symbole et de sa propriétaire, je me suis dit : « Mais, quelle merveilleuse idée ! » Et lorsqu'on m'a proposé de préfacer leur livre, j'ai spontanément répondu : « C'est avec grand plaisir que j'accepte, mais surtout, c'est un grand honneur pour moi. »

Né au Saguenay, je me suis toujours senti Saguenéen. Lors du déluge survenu en 1996, j'ai donc été très ému de voir ce paysage ravagé et ces vies bouleversées. J'ai tenu à me rendre sur les lieux du sinistre, pour mesurer l'ampleur d'un désastre qui dépassait toute mesure. J'ai été impressionné par l'extrême solidité de la petite maison : restée fièrement debout au milieu des flots, cette construction en apparence fragile disposait du pouvoir de redonner espoir à toute une population traumatisée. J'ai insisté pour toucher aux murs de cet incroyable symbole de ténacité.

Par la suite, il m'a semblé important de m'impliquer en tant qu'homme public et de faire tout mon possible pour aider la cause des sinistrés. Je n'ai donc pas hésité à participer activement à l'organisation du grand spectacle de la solidarité présenté au Centre Molson à Montréal. J'étais particulièrement fier du décor de fond de scène qui représentait la *Petite Maison blanche* luttant contre les flots déchaînés. Quelques mois plus tard avait lieu le *Bye Bye 96*, en direct du Saguenay, signe que la catastrophe de l'été précédent était encore présente dans tous les esprits. J'ai eu alors le grand privilège de faire le compte à rebours des dernières secondes de l'année 1996 à l'intérieur de la *Petite Maison blanche*.

J'appuie entièrement l'initiative de Madeleine et de Guy parce que j'ai pris conscience du symbole que représente cette *Petite Maison blanche* et de l'exemple que nous donne madame Jeanne-d'Arc Lavoie-Genest qui est demeurée, toute sa vie durant, courageuse et pleine d'espérance.

En terminant, je souhaite que ce livre connaisse beaucoup de succès et qu'il contribue à perpétuer la mémoire de la courageuse Jeanne-d'Arc Lavoie-Genest.

MICHEL BARRETTE

Prologue

C'EST UN RITUEL. Tous les matins en se levant, Jeanne-d'Arc encercle sur son calendrier la date de la journée qui débute. Aujourd'hui, 15 décembre 1994, une note lui rappelle qu'elle doit rencontrer cet après-midi son médecin, madame Drouin.

Avec sa fille Denise, elle se rend à la clinique médicale du quartier à l'heure exacte de son rendez-vous. La salle est pleine de patients qui attendent d'être appelés. Jeanne-d'Arc prend machinalement une revue sur la petite table mais, incapable de se concentrer, elle se réfugie dans ses pensées :

> Je me demande bien pourquoi le docteur veut absolument me voir... Je n'ai pourtant plus de douleurs depuis mon opération aux intestins...

C'était il y a un an. Jeanne-d'Arc constatait depuis un certain temps qu'elle avait du sang dans ses selles. Lorsqu'elle s'est décidée à en parler à son médecin, celle-ci lui a fait passer toute une série de tests. Le diagnostic ne s'est pas fait attendre : cancer de l'intestin. À 77 ans, elle s'est retrouvée à l'hôpital pour y subir la première intervention chirurgicale de sa vie.

Pour me rassurer, j'avais apporté mon chapelet et mes statuettes de la Sainte Vierge et de la bonne sainte Anne. Mes prières avaient sûrement été entendues : tout s'était déroulé sans complication. J'avais même retrouvé mes énergies en un temps record. Je pensais bien en avoir fini avec tout ça, mais là j'ai bien peur que mon médecin ait découvert quelque chose d'anormal sur les radiographies qu'elle vient de me faire passer. Mon cancer n'est peut-être jamais complètement parti...

— Madame Jeanne-d'Arc Lavoie-Genest ?

L'appel de son nom la fait sursauter. Elle se lève promptement et se dirige d'un pas alerte vers le bureau de son médecin, suivie de sa fille qui tient à l'accompagner. Dans le cabinet, l'atmosphère est lourde. Jeanne-d'Arc serre fermement les deux bras de sa chaise et attend le verdict. La docteure fait mine de consulter son dossier, la regarde avec sympathie, puis lui parle d'un ton posé mais décidé : le cancer a progressé, le foie est atteint. Jeanne-d'Arc écoute les explications puis demande, comme si elle n'attachait pas d'importance aux détails :

— Il me reste combien de temps à vivre ?

— Six mois. Peut-être un peu plus... répond avec franchise le médecin.

La nouvelle est brutale, bouleversante. Les yeux pleins d'eau, la mère et la fille quittent le bureau, totalement anéanties.

— Ça me fait tout drôle de penser que je ne suis plus nécessaire sur terre, confie Jeanne-d'Arc à Denise sur le chemin du retour. Six mois, ça me laisse juste le temps de me préparer...

Désemparée, Jeanne-d'Arc est loin de se douter de ce qui l'attend. Elle sera encore de ce monde dans un an et demi, alors qu'un terrible déluge chamboulera sa région. Elle aura le temps de voir sa petite maison blanche devenir célèbre et, par la même occasion, de livrer au monde entier un émouvant message de foi, de courage et d'espoir.

PREMIÈRE PARTIE

Le temps a passé si vite...

À l'Anse-d'en-Bas

D E RETOUR À LA MAISON, Jeanne-d'Arc se demande comment aborder cette dernière partie de sa vie. Songeuse, elle se rend dans le petit vivoir adjacent à la salle à manger, où l'attend sa chaise berçante de bois, garnie de confortables coussins dont elle a tricoté les housses avec de la laine de toutes les couleurs. Elle s'y installe et regarde autour d'elle comme si elle le faisait pour la dernière fois.

Le temps a passé si vite!

À ses côtés, une petite étagère lui donne accès aux quelques effets personnels qui accompagnent ses journées — livres de prières, chapelet, cahier de « mots cachés », tricot, publications sur les fleurs et le jardinage, bibelots. Près du téléviseur, un meuble à tablettes garni de cinq magnifiques plantes d'intérieur. Dans l'autre coin de la pièce, entre deux longues fenêtres habillées de dentelle blanche, un vieux sofa à deux places et la chaise berçante de son fils Claude. Aux murs, une horloge carillon qui égrène le temps parmi les photos de son défunt mari, de ses huit enfants et de ses quinze petits-enfants, dans une vingtaine de cadres désassortis.

Pourtant, il me semble que le temps où je vivais encore avec papa et maman dans la grande maison de l'Anse-d'en-Bas n'est pas si loin que ça...

Jeanne-d'Arc doit se concentrer pour recomposer l'image de son père et de sa mère. Ils sont partis depuis si longtemps ! Elle retrouve la carte mortuaire de sa mère dans son livre de prières :

À la douce mémoire de

PHILOMÈNE VILLENEUVE

décédée le 28 août 1960
à l'âge de 75 ans et 8 mois.
R.I.P.

Pauvre maman ! On aurait dû ajouter qu'elle avait élevé quatorze enfants dans des conditions souvent pénibles... Voici la carte de papa :

À la regrettée mémoire de

WILBROD LAVOIE

décédé le 23 décembre 1947
à l'âge de 68 ans et 8 mois.
R.I.P.

Qu'il était beau, cher papa ! Et comme il a travaillé dur, sans jamais se plaindre...

Wilbrod et Philomène sont encore jeunes lorsqu'ils sont contraints de s'exiler de leur Saguenay natal vers les États-Unis avec leurs parents. Nous sommes en 1885, et des milliers de Canadiens français sans travail quittent le pays pour aller gagner leur vie dans les usines de la Nouvelle-Angleterre. Les deux familles s'établissent dans le même quartier francophone de la ville de Manchester, au New Hampshire, à proximité de l'usine de filature où elles ont trouvé du travail. C'est là que Wilbrod et Philomène font connaissance et se lient peu à peu d'amitié.

Au tournant du siècle, les parents de Wilbrod décident de revenir avec leurs enfants se réinstaller à Grande-Baie, leur village d'origine. Peu de temps après, c'est au tour de la famille de Philomène de faire le voyage de retour, mais pour s'établir à l'Anse-d'en-Bas, une petite colonie à peine défrichée qui fait partie du village de Sainte-Rose-du-Nord. Les deux endroits sont situés de part et d'autre de la rivière Saguenay et, sur la rive sud, Wilbrod s'ennuie de sa bien-aimée. Pour se rapprocher d'elle, il décide de se chercher du travail à Sainte-Rose-du-Nord. Il y trouve un emploi sur la terre d'un oncle de Philomène, Auguste Villeneuve, où il est payé 50 cents par semaine pour nettoyer l'étable et « faire le train[1] ».

En 1902, Wilbrod épouse Philomène. Il a 23 ans, elle en a 17. Comme Sainte-Rose-du-Nord ne possède pas encore son église, la cérémonie a lieu dans la maison

---

1. Cette expression désigne la traite des vaches et le soin des animaux à l'étable.

d'Auguste. Après le mariage, le couple s'installe à l'Anse-d'en-Bas, dans une petite maison que Wilbrod a construite au pied de la côte de la « Descente-des-femmes[2] », près de la demeure des parents de Philomène.

Au fil du temps, Wilbrod achète cinq lots de colonisation, se pourvoit d'animaux et défriche sa terre. Il cultive du blé, de l'orge, des patates et des légumes, ainsi que de l'avoine et du foin pour les animaux. L'hiver, il monte aux chantiers ou coupe des arbres sur ses lots pour en faire du bois de chauffage et des billots qu'il vend à la scierie. Il va aussi à la pêche et à la chasse pour apporter un supplément de nourriture à sa famille qui s'agrandit presque chaque année.

En 1920, Wilbrod et Philomène ont déjà 11 enfants. La maison ne suffit plus. Wilbrod achète un nouveau lot, à quelques arpents de là, pour se reconstruire. Le site est de toute beauté.

Une grande maison de deux étages s'élève bientôt au pied des somptueuses collines, face à une petite anse de la rivière Saguenay. De la galerie qui court tout le long de sa façade, la vue est à couper le souffle. On peut admirer les majestueuses montagnes et les caps escarpés qui s'enfoncent dans les eaux profondes de la rivière. Au large, on voit passer les bateaux naviguant sur le fjord du Saguenay, de Tadoussac jusqu'à Grande-Baie ou jusqu'à Chicoutimi. À marée haute,

---

2. L'appellation daterait du début du 19ᵉ siècle. Plusieurs interprétations en expliquent l'origine. Selon la plus répandue, les Amérindiennes, qui guettaient du haut de l'anse le retour des pêcheurs de leur communauté, se laissaient glisser le long de la pente pour les rejoindre en évitant les chemins longs et tortueux.

on aperçoit les petites embarcations qui circulent paisiblement dans l'anse. À travers le chant des oiseaux et le bruissement du feuillage, on entend le murmure du ruisseau qui transporte l'eau des hauteurs jusqu'à l'anse. Dans ce petit coin de pays, à cause du voisinage de l'eau qui tempère le climat et des collines qui forment un abri contre les grands vents, il n'y a ni sécheresse ni gelées hâtives. Et la terre se montre d'une fécondité merveilleuse.

Malgré leurs nombreux enfants, Wilbrod et Philomène se tirent bien d'affaire. Ils s'adaptent aisément à la vie moderne et ne tardent pas à se procurer les nouveautés mises sur le marché. Ils sont les premiers du village à posséder une radio, et Philomène dispose même d'une laveuse à essence, d'une machine à coudre et d'une tricoteuse...

Il n'y a cependant pas que des avantages à demeurer en ce lieu féerique. L'éloignement, en particulier, constitue un défi de taille. Pour atteindre le village, il faut marcher près de deux milles (3 km) et gravir la longue côte abrupte et sinueuse de la Descente-des-Femmes. Sainte-Rose-du-Nord se situe elle-même à 25 milles (40 km) de Chicoutimi, la ville où se trouvent l'hôpital le plus proche, de bonnes maisons d'enseignement et de grands magasins. Comme ses frères et sœurs, Jeanne-d'Arc a souvent souffert de cet éloignement.

Le matin de sa première journée d'école, le 4 septembre 1922, il règne tout un brouhaha dans la maison.

— Dépêchez-vous, les enfants, ordonne Philomène en remettant à chacun des beurrées de sirop noir[3] pour le repas

_____
3. Tartines beurrées à la mélasse.

du midi. La route est longue et difficile jusqu'au village, et il ne faudrait pas arriver en retard à l'école !

— J'espère que Jeanne-d'Arc va être capable de faire le trajet, dit l'une de ses sœurs.

— Je crois bien que oui, répond Philomène qui sait que, malgré son jeune âge, Jeanne-d'Arc a de l'endurance. De toute façon, Léonidas ou Victor vont la prendre sur leurs épaules si elle est trop fatiguée.

Neuvième enfant de la famille, Jeanne-d'Arc a l'habitude de se débrouiller, mais elle est tout de même heureuse qu'on se fasse autant de souci pour elle. Philomène la rassure encore :

— Tu ne seras pas toute seule là-bas. Tu sais que c'est la même maîtresse qui enseigne de la première à la septième année. Tes frères et sœurs vont être dans la même classe que toi.

Je n'étais pas inquiète. J'étais même plutôt confiante, surtout que mes grandes sœurs m'avaient déjà appris à compter et m'avaient enseigné l'alphabet. Et puis, je connaissais mes prières : tous les soirs, on récitait à voix haute le chapelet en famille... Ça s'est d'ailleurs passé sans problème.

Au début de décembre, la première grosse tempête de neige vient cependant tout bousculer. En se levant, Philomène constate que le vent et le froid se sont mis de la partie et qu'avec la neige abondante qui s'est accumulée depuis quelques jours la poudrerie sera aveuglante. Dans la cuisine, elle aperçoit son mari presque endormi dans sa chaise berçante.

— Qu'est-ce qui se passe ? D'ordinaire, tu es déjà parti au chantier à cette heure-ci...

— J'ai dû m'assoupir aux petites heures du matin, répond Wilbrod en remontant les bretelles de son pantalon sur ses larges épaules. Je n'ai presque pas dormi de la nuit. Avec un temps pareil, j'ai dû chauffer le poêle. Je vais me dépêcher d'atteler le cheval. La journée va être dure au chantier !

— Avec toute cette neige, renchérit Philomène en regardant par la fenêtre givrée, les plus vieux vont être obligés de battre le chemin pour les petits.

— J'ai fait réchauffer les bottes et les mitaines des enfants autour du poêle. Je ne voudrais pas qu'ils soient malades.

— Justement, Jeanne-d'Arc a toussé toute la nuit. Elle n'ira pas à l'école aujourd'hui, ça serait trop fatigant pour elle.

— Il va falloir l'envoyer chez Georges pour le reste de l'hiver, enchaîne Wilbrod en enfilant son parka.

Philomène est satisfaite : elle a tricoté des tuques, des mitaines et des bas de laine en quantité suffisante pour les enfants. Elle leur a aussi confectionné de bons manteaux en étoffe du pays pour qu'ils soient bien au chaud durant l'hiver.

N'empêche qu'avec la neige qui leur montait jusqu'à la taille, mes frères et mes sœurs avaient quand même passé la journée tout mouillés. Le lendemain, papa m'avait reconduite chez mon oncle Georges qui habitait au village, juste à côté de l'école. Que j'étais inquiète ! Ma tante Isola avait la réputation d'être très sévère. Mais je n'avais pas un mot à dire : papa ne l'aurait pas accepté. Maman et lui en

avaient décidé ainsi, il fallait que j'y reste jusqu'au printemps.

S'ils sont exigeants envers leurs enfants, Philomène et
Wilbrod le sont aussi envers eux-mêmes. Ils ont à cœur de
donner tout ce qui est nécessaire à leur progéniture. Et en
ce début de colonie, avec une si nombreuse famille, rien
n'est facile. Tous doivent mettre la main à la pâte. Ainsi, en
plus d'aller à l'école, les enfants participent aux travaux
ménagers, s'occupent du bois de chauffage et des animaux.
Ils aident aux semailles, font la cueillette des petites fraises,
des framboises, des bleuets et des noisettes, prennent part
aux récoltes, à l'engrangement et aux labours.

Par contre, Wilbrod et Philomène aiment beaucoup les
enfants et ils ont le don de faire de la moindre occasion un
événement mémorable. Les dimanches sont des journées
agréables de repos : Wilbrod troque ses vêtements de travail
pour une belle chemise blanche, Philomène et les enfants
portent aussi leurs plus beaux vêtements ; on se réjouit à l'idée
de rencontrer plein de monde à la grand-messe ; on se régale
au délicieux repas du midi et, surtout, on attend avec impatience la visite qui profite de ces belles journées où personne
ne travaille. Les naissances, les anniversaires, les réussites,
les mariages, sont aussi soulignés de façon particulière. Le
19 avril 1923, justement, c'est au tour de Jeanne-d'Arc d'être
le centre d'intérêt. Elle fait sa première communion.

Jamais je n'oublierai cette journée-là. Ce fut l'une des plus
belles de ma vie ! J'étrennais une jolie robe de dentelle

blanche — c'était maman qui me l'avait confectionnée —
et des souliers neufs. Le matin, ma mère a sorti du fond
de l'armoire de sa chambre une boîte de carton qu'elle a
déposée sur la table de la cuisine. À l'intérieur, dans du
papier de soie bleu — ça frissonnait sous ses doigts —,
il y avait un diadème, un voile de tulle, des bas et des
gants blancs. C'étaient les accessoires qui complétaient
la tenue de cérémonie des filles. Mais cette fois-là, c'était
pour moi qu'elle les sortait, pour ma première vraie grande
toilette! Ma grand-mère Caroline m'avait offert mon premier chapelet et mes parents, le petit bénitier qui se trouve
encore à l'entrée de ma chambre. Que j'étais heureuse!

En 1928, la famille Lavoie compte 14 enfants : 7 filles et
7 garçons ; Jeanne-d'Arc, elle, a douze ans et commence sa
septième année. C'est le moment de « marcher au catéchisme ». Avec les enfants de son âge, elle apprend par cœur
pendant plusieurs semaines toutes les questions et réponses
du petit catéchisme. Au printemps, elle peut enfin faire sa
communion solennelle. Après cet événement, plusieurs
jeunes prennent la décision de laisser l'école pour aller
travailler. Mais ceux qui désirent poursuivre leurs études doivent quitter le village. Sa septième année terminée, Jeanne-
d'Arc décide d'aller rejoindre sa sœur Cécile au couvent
Saint-Joseph, à Saint-Hyacinthe, pour y faire ses huitième,
neuvième et dixième années. Wilbrod a opté pour cette institution parce qu'une sœur de leur tante Isola y est religieuse.

Au début de l'année scolaire, papa nous accompagnait en
train jusqu'à Québec. Là-bas, il nous déposait dans un

autre train à destination de Saint-Hyacinthe où des religieuses du couvent nous attendaient. Nous demeurions au pensionnat jusqu'à la fin juin sans sortir ni revoir aucun de nos parents. Comme on était peu nombreuses à passer le temps des Fêtes au couvent, les religieuses nous gâtaient. Papa nous envoyait par la poste une boîte de friandises et une lettre dans laquelle il nous mettait au courant des dernières nouvelles.

En septembre 1932, sa dixième année terminée, Jeanne-d'Arc ne se réinscrit pas à l'école. Elle préfère rester à l'Anse-d'en-Bas pour aider sa mère et entreprendre un nouvel apprentissage : durant deux ans, elle s'initie aux travaux ménagers et à la cuisine auprès de Philomène et de sa grand-mère à qui elle donne à l'occasion un coup de main. Elle est heureuse et en paix au milieu des siens. Mais, dans son for intérieur, elle désire ardemment fonder sa propre famille et commence à s'inquiéter de son avenir. Un soir, tandis que sa mère est occupée à repriser des bas de laine, elle se confie :

— Vous savez, maman, j'ai déjà rencontré plusieurs garçons au village, mais il n'y en a pas un qui me plaît. Je me demande bien si je vais finir par rencontrer quelqu'un que je vais aimer.

Philomène lève les yeux de son ouvrage et regarde attentivement sa fille. Elle constate qu'elle est en présence d'une vraie adulte. Jeanne-d'Arc a toujours son air enjoué de petite fille, mais elle est devenue une jeune femme svelte et élégante aux goûts plus raffinés que ceux de la plupart des jeunes filles de la campagne. Elle est intelligente et fière, et constamment à la recherche de ce qu'il y a de meilleur. Il n'y a donc rien d'étonnant à ce qu'elle démontre tant d'impatience quant à son avenir.

— Rappelle-toi, Jeanne-d'Arc, le vieux proverbe : tout vient à point à qui sait attendre. Je suis bien certaine que tu vas trouver un bon jeune homme qui saura te rendre heureuse.

— Mais maman, j'ai déjà 18 ans ! Mon trousseau est prêt, et j'ai hâte d'avoir des enfants...

— Rien ne presse ! Tu devrais t'inscrire à l'École normale et faire tes études d'enseignante. Les femmes instruites et cultivées trouvent plus facilement un bon parti.

De septembre 1935 à juin 1936, Jeanne-d'Arc fréquente l'École normale du Bon-Pasteur, à Chicoutimi. Mais ce choix ne lui convient pas. Elle met fin à ses études et revient à la maison. Entre-temps, un changement s'est produit dans le petit village. Le ministre de la Voirie a libéré un budget pour l'achèvement de la route entre Sainte-Rose-du-Nord et Saint-Fulgence, la localité voisine. Plusieurs hommes du coin, dont Wilbrod et quelques-uns de ses fils, ont été engagés pour les travaux d'aménagement. Les autres travailleurs viennent de l'extérieur. Ils pensionnent au village ou logent dans une grande tente en bordure du chemin.

À peine quelques semaines après le début des travaux, Wilbrod annonce à la maisonnée qu'il a invité quelques hommes du chantier à venir veiller le samedi soir suivant. Il a plusieurs jeunes filles en âge de se marier et sait que ce sera pour elles l'occasion de faire de nouvelles connaissances...

La grande maison que Wilbrod a construite face à la rivière Saguenay.

De la longue galerie qui court sur toute la façade
de la maison, la vue est à couper le souffle.

Philomène devant sa grande maison.   Wilbrod à l'Anse-d'en-Bas.

Jeanne-d'Arc et ses frères travaillant au champ.

Jeanne-d'Arc à vingt ans sur les rochers de l'Anse-d'en-Bas.

Le coup de foudre

CE SOIR-LÀ, l'atmosphère est fébrile dans la maison des Lavoie. Les filles se sont faites belles, et Philomène a cuisiné une douzaine de tartes et de gâteaux. Au début de la soirée, les hommes s'installent dans la cuisine et discutent avec Wilbrod et ses fils des travaux de construction de la route. De bonne éducation, les filles demeurent discrètes et se tiennent à l'écart de la conversation des hommes. Elles ne s'avancent qu'au moment de servir les pâtisseries.

Le regard de Jeanne-d'Arc est attiré par un homme jovial au timbre de voix puissant, âgé d'une trentaine d'années. D'allure mondaine, fier et élégant, il paraît sûr de lui. Ses yeux sont d'une clarté saisissante et son front, qui commence à se dégarnir, lui donne un air de maturité séduisant. Wilbrod, qui a tout de suite saisi l'intérêt réciproque des deux jeunes, fait les présentations :

— Alyre, je te présente ma fille Jeanne-d'Arc.

Puis, s'adressant à sa fille, il poursuit d'un même souffle :

— Alyre Genest est l'arpenteur responsable du chantier pour la firme McConville. Il vient de Chicoutimi et il pensionne au village pour la durée des travaux.

— Bonsoir, répond simplement Alyre, qui voudrait ajouter quelque chose pour impressionner la jeune fille, mais en est incapable.

— Bonsoir. Prendriez-vous une pointe de tarte ou un morceau de gâteau ?

— Je prendrais bien un morceau de votre tarte à la farlouche[1], répond Alyre, un peu embarrassé par son incapacité à cacher ses émotions.

Le cœur battant, Alyre ne quitte plus des yeux la ravissante jeune fille. Lui qui a d'habitude si bon appétit ne peut presque plus rien avaler. Philomène, qui suit la scène de loin, intervient :

— Passez donc au salon, les jeunes. Vous serez plus à l'aise.

Alyre aperçoit le magnifique piano noir qui trône au fond de la pièce. Il demande la permission d'en jouer. Quelques minutes plus tard, garçons et filles chantent autour du pianiste, et la soirée se transforme en une fête joyeuse.

Alyre ne manque pas de se manifester à nouveau. C'est ainsi qu'il se met à fréquenter d'une manière régulière la maison des Lavoie. Comme le veut la coutume, le prétendant doit avant tout gagner l'estime des parents. Aussi, lorsqu'il arrive, il s'installe d'abord dans la grande cuisine pour converser avec Wilbrod et Philomène, ainsi que les

---

1. Sa recette de « tarte à la farlouche » est donnée à la page 179.

autres membres de la famille venus s'asseoir sur le long banc derrière la table.

Lorsque Philomène se lève enfin pour allumer la lampe à l'huile du salon, Jeanne-d'Arc et quelques-unes de ses sœurs vont s'installer dans cette pièce. Alyre comprend qu'il peut aller les rejoindre. Cependant, il ne s'approche pas trop de sa dulcinée, ce qui serait inconvenant. De toute façon, l'une ou l'autre sœur de Jeanne-d'Arc est chaque fois désignée pour chaperonner le couple. Rusé, le soupirant use parfois de petits stratagèmes pour déjouer le chaperon et faire la cour à sa bien-aimée en toute liberté.

Alyre a treize ans de plus que Jeanne-d'Arc et il est prêt à s'engager. Après deux ans de fréquentations, il se décide à demander à Wilbrod la main de sa fille. Celui-ci accepte avec plaisir et il propose de célébrer un mariage double : Cécile, la sœur de Jeanne-d'Arc et la huitième enfant de la famille Lavoie, est courtisée depuis trois ans par Marius Gauthier. Marius habite Le Tableau, un petit hameau situé à environ 8 milles (13 km) de Sainte-Rose-du-Nord et, quelques semaines auparavant, il a fait lui aussi la grande demande à Wilbrod.

Les deux sœurs, habituées aux célébrations communes puisque nées toutes deux le 7 juin (Cécile en 1914 et Jeanne-d'Arc en 1916), acceptent la proposition de leur père. La cérémonie du « mariage double » est fixée au 18 mai 1938, à 9 heures, en l'église de Sainte-Rose-du-Nord.

Un mariage double

L E PRINTEMPS n'a encore connu que quelques rares belles journées, mais lorsqu'arrive le jour du mariage, peut-être à cause du chapelet que Philomène a suspendu la veille sur la corde à linge, le temps est superbe. Les rayons de soleil éclatants traversent les vitraux de la petite église de Sainte-Rose-du-Nord et réchauffent le cœur des fidèles réunis pour la cérémonie. Aujourd'hui, Jeanne-d'Arc Lavoie s'unit devant Dieu à Alyre Genest, et Cécile Lavoie, à Marius Gauthier. Ils se jurent amour, fidélité et soutien jusqu'à la fin de leur vie, pour le meilleur et pour le pire. À la sortie de l'église, ce n'est pas comme à l'accoutumée une voiture à chevaux qui attend les nouveaux mariés mais une automobile. Les membres des familles Genest, Gauthier et Lavoie, Monsieur le curé et quelques amis la suivent jusqu'à la grande maison de Wilbrod et Philomène, à l'Anse-d'en-Bas, où aura lieu la noce.

Après les salutations, les poignées de mains et les discours d'usage, quelques-uns des invités prennent place aux deux tables déjà dressées. Celle des adultes, dans le salon, compte dix couverts ; l'autre, réservée aux enfants, en compte douze et se trouve dans la cuisine. Ce midi, pour faire manger tous les invités, on devra compter au moins quatre tablées. De la nourriture, il y en a en quantité, Philomène s'en est fait un point d'honneur. Elle a d'ailleurs tout coordonné elle-même pour que rien ne manque.

Quelques jours avant la noce, Wilbrod a fait boucherie. Il s'est ensuite rendu au magasin général de Chicoutimi pour acheter quelques gallons de vin Saint-Georges embouteillé dans de grosses cruches brunes en verre. Pendant ce temps, Philomène et ses filles ont boulangé le pain et les brioches. La veille, quelques sœurs et belles-sœurs sont venues aider à préparer la dinde, le jambon, le rôti de porc, les pâtés à la viande, la tourtière, les cretons, la soupe et le ragoût[1], pendant que Philomène s'occupait de faire les pâtisseries. Aux petites heures du matin, les plus jeunes ont épluché une quantité impressionnante de patates et de légumes qu'on a mis à bouillir dans de grandes marmites sur le poêle à bois.

Avant de partir pour l'église, Philomène a jeté un dernier coup d'œil à la maison et s'est exclamée fièrement :

— On ne manquera de rien, c'est certain !

Maîtresse de maison avisée, elle a vu juste. Les invités ont mangé plus qu'à leur faim et bu à satiété. Philomène ne cache pas son enthousiasme. Elle demande qu'on pousse les tables le long des murs pour faire place aux danseurs. Les musiciens sortent violons, accordéons et harmonicas, et Alyre s'assoit au piano.

---

1. Les cretons sont un genre de rillettes ; on trouvera la recette du ragoût de noce à la fin du livre.

On se prépare à danser un *set carré*[2]. Deux groupes de huit danseurs se forment, l'un sur la galerie, l'autre dans la cuisine. Et le bal part! Les figures du *calleur*[3] s'enchaînent:

— Tous par la main...

— Et en foulant...

— Tout l'monde balance pis tout l'monde danse...

— Swingue la baquèse[4] dans l'fond d'la boîte à bois...

— Et domino, les femmes ont chaud...

La fête bat son plein. Philomène est au comble du bonheur. Elle tolère même que les jeunes dansent dans le salon, elle qui s'y oppose habituellement de peur qu'on abîme son beau prélart[5].

La plupart des invités choisissent de s'en aller avant que la noirceur ne prenne. Les nouveaux mariés finissent la soirée avec les fêtards qui prolongent la noce, et passent la nuit dans la maison familiale. Le lendemain matin, ils sont taquinés dans leur sommeil par le son des couvercles de métal qui s'entrechoquent et des cuillères de bois qu'on tambourine sur des contenants. Après un dernier déjeuner dans la grande maison familiale, Jeanne-d'Arc et Alyre se préparent à partir. Les tourtereaux voleront désormais de leurs propres ailes.

---

2. Le *set carré* est une danse qui s'apparente au quadrille.

3. On désigne par *calleur* le meneur de la danse.

4. Québécisme désignant une personne grosse et courte.

5. Linoléum.

Alyre et Jeanne-d'Arc le jour de leur mariage, le 18 mai 1938.

Le mariage double.
En bas, de gauche à droite : Alyre et Jeanne-d'Arc, Marius et Cécile.

L'offre de grand-maman

APRÈS LE MARIAGE, Alyre retrouve sa pension au village de Sainte-Rose-du-Nord, mais il y demeure maintenant avec sa jeune épouse. Les belles journées d'été se sont enfin installées, et Jeanne-d'Arc initie son mari aux joies de la campagne : ils se baignent à la rivière, se promènent en chaloupe sur les lacs des alentours, arpentent les sentiers, s'arrêtent pour pique-niquer, visitent les fermes, vont à la pêche dans les ruisseaux ou se rendent tout simplement au quai de Sainte-Rose pour y voir arriver les goélettes.

Alyre se plaît à la campagne, mais les travaux de la route se terminent à l'automne, et il songe à retourner s'installer près de ses employeurs, à Chicoutimi.

— J'ai pensé qu'on pourrait chercher un logement à Chicoutimi en fin de semaine. On en profiterait pour aller voir mes parents...

— Bien sûr ! répond Jeanne-d'Arc, emballée. J'ai tellement hâte qu'on s'installe !

— J'espère que tu n'auras pas de difficulté à t'adapter à la ville...

— Certainement pas ! Je vais être heureuse là où tu seras.

— Alors, c'est décidé ! On passe la fin de semaine chez mes parents.

La famille d'Alyre habite la belle paroisse du Sacré-Cœur à Chicoutimi, dans un vieux quartier chargé d'histoire communément appelé « Le Bassin ».

À l'origine, le lieu est occupé par des Montagnais. Les premiers Blancs à y venir sont des marchands de fourrures de Tadoussac qui établissent, en 1676[1], un poste de traite à l'embouchure de la rivière Chicoutimi, là où elle forme un bassin qui s'ouvre sur la rivière Saguenay. C'est à partir de ce poste que se mettaient en branle les portages vers le lac Saint-Jean et le Nord.

En 1726, les missions du Saguenay s'organisent, et une chapelle rustique est érigée à l'embouchure ouest du Bassin. Alentour, on établit quelques installations sommaires pour les activités des marchands de fourrures. Ce n'est qu'un siècle plus tard, en 1838, que débute la colonisation, c'est-à-dire le peuplement et l'exploitation systématique de la région.

En 1843, le secteur commence à s'industrialiser. L'homme d'affaires William Price et son associé Peter McLeod implantent une grande scierie au Bassin. Pour réaliser leur projet, ils font construire un barrage au pied des premières chutes de la rivière Chicoutimi afin d'amener,

---

1. Guy Coutu, *Chicoutimi – 150 ans d'images*, Chicoutimi, Le Musée du Saguenay–Lac-Saint-Jean, 1992, p. 13.

à l'aide d'une dalle[2], l'eau motrice à l'usine. En 1897, une autre industrie, la Compagnie de Pulpe de Chicoutimi, s'établit en amont du barrage Price. À partir de ce moment, le secteur du Bassin se développe rapidement autour de la scierie, de la pulperie, de la minoterie et du barrage. Plusieurs nouvelles constructions apparaissent sur les rues Gédéon, Taché, Sainte-Marthe, Price, Bossé et Dréan.

En 1904, une nouvelle église est érigée au sommet de la côte de la rue Bossé, à mi-chemin entre Le Bassin et la pulperie. Le quartier fait dorénavant partie de la paroisse du Sacré-Cœur que Mgr Labrecque vient de fonder et qu'il confie aux pères Eudistes. L'année suivante, la scierie Price est démolie, mais en 1923, la compagnie reconstruit un complexe hydroélectrique sur le même emplacement. À cette occasion, elle agrandit considérablement le barrage déjà existant puisque désormais il alimentera non pas une industrie mais une centrale hydroélectrique. En conséquence, le plateau de la rue Gédéon et les alentours de l'avenue Dréan sont envahis par le réservoir, mais on a pris soin de donner au barrage une forme courbe pour laisser en place le couvent Sacré-Cœur, un magnifique bâtiment datant de 1907.

À quelques pas de là, sur la rue Taché, sise en contrebas de la rue Gédéon, Noël Genest et Clara Desmeules, les parents d'Alyre, tiennent un magasin général. Celui-ci est situé au rez-de-chaussée de leur grande maison ; ils occupent l'étage avec leurs enfants.

Noël avait acquis une solide expérience en travaillant, dès l'âge de 19 ans, comme commis au populaire magasin

---

2. Canal ou conduit de bois surélevé, à ciel ouvert.

de Charles Morin. Quatre ans plus tard, en 1902, il avait épousé Clara, une belle et joyeuse jeune fille qui n'avait pas encore ses 16 ans. C'est avec elle qu'il a ouvert son propre magasin, quelques années après leur mariage. Tous deux y ont toujours travaillé durement, ce qui ne les a pas empêchés d'élever une famille de huit enfants. Alyre en est l'aîné.

⟡

En ce 12 août 1938, Clara, Noël et les enfants festoient gaiement autour d'un bon repas en compagnie d'Alyre et de Jeanne-d'Arc qui sont en visite pour la fin de semaine. Alyre a projeté de faire un saut après le repas chez sa grand-maman, comme il le faisait si souvent autrefois.

Depuis 1922, Rose-Délima Dubé, la grand-mère maternelle d'Alyre, habite tout près, rue Gédéon, avec sa fille Alma qui est sourde-muette. Elles occupent une modeste maison d'un seul niveau, construite pièce sur pièce et coiffée d'un haut toit à deux versants.

Les deux femmes se sont toujours bien débrouillées toutes seules, mais depuis quelque temps la maison est devenue une lourde charge. Rose-Délima n'envisage toutefois pas de vendre cet héritage patrimonial que son mari Thomas Desmeules lui a légué à sa mort, en 1922. Elle apprécie le quartier et aime pouvoir se rendre à pied à l'église qui se trouve tout près. Elle est aussi heureuse de demeurer à proximité de sa fille et de ses petits-enfants qui la visitent régulièrement... C'est ce à quoi la vieille dame songe lorsqu'elle voit son petit-fils Alyre et son épouse s'approcher de la maison.

— Entrez donc, je vous attendais.

— Bonjour, grand-maman, dit Alyre en l'embrassant chaleureusement sur les deux joues. Comment va votre santé ?

— Je vais bien, mais je n'ai plus autant d'énergie qu'autrefois, répond Rose-Délima en détachant son tablier. Et toi, Jeanne-d'Arc, comment ça va dans ta nouvelle vie ?

— Ça va très bien. Je commence même à avoir hâte de déménager à Chicoutimi.

— Venez donc vous asseoir à table, les enfants. On va pouvoir jaser en prenant une bonne tasse de thé et des galettes. Je viens juste de les sortir du four, elles sont encore toutes chaudes.

— Ce n'est pas de refus, répond Alyre. Elles sont tellement bonnes, vos galettes !

Contente de leur faire plaisir, Rose-Délima apporte les galettes, verse le thé puis s'assoit avec eux.

— Comme je vous le disais tantôt, je ne suis plus bien jeune et l'usure commence à se faire sentir. C'est pareil pour ma vieille maison qui aurait bien besoin d'entretien.

— Elle a quel âge votre maison, grand-maman ?

— Oh... elle doit bien avoir une quarantaine d'années. Thomas l'a achetée de Napoléon Tremblay en 1922, quelques mois avant de mourir. Napoléon, lui, il l'avait eue d'un dénommé Elzéard Gagnon qui l'aurait construite aux alentours de 1900...

— Est-ce que vous avez l'intention de la vendre ?

— Je pensais justement à ça avant que vous arriviez. Puis, quand je vous ai aperçus, il m'est venu une idée...

Alyre s'adosse et regarde attentivement sa grand-mère. Elle doit bien approcher les 82 ans, mais malgré ses cheveux blancs et son visage maigre creusé de rides, elle est demeurée beaucoup plus vive que la plupart des personnes de son âge. Il avait probablement vécu trop près d'elle pour s'apercevoir qu'elle vieillissait.

— C'est quoi votre idée, grand-maman ? demande Alyre en allumant une cigarette, geste automatique qu'il répète presque aux demi-heures.

— Pourquoi ne viendriez-vous pas demeurer ici pour quelque temps ? Tu pourrais construire un mur de séparation. Alma et moi, on resterait dans les deux pièces du côté sud. Jeanne-d'Arc et toi, vous pourriez occuper les deux autres pièces du côté nord. Plus tard, tu pourrais aménager un étage avec des chambres.

— Je vous remercie de penser à nous. Votre proposition arrive à point. Moi, ça me plairait de venir vivre ici, mais il faut que ça fasse aussi l'affaire de Jeanne-d'Arc.

Pendant la conversation entre Alyre et Rose-Délima, Jeanne-d'Arc a examiné attentivement autour d'elle. Tout est si propre et si accueillant qu'elle se fait déjà une joie de venir habiter la maison. Alors, elle répond avec enthousiasme :

— Je l'aime beaucoup, la maison ! Je ne vois pas d'empêchement à venir demeurer ici. En plus, avec ta grand-mère et ta tante Alma à côté, je vais me sentir moins seule quand tu seras parti à l'extérieur pour travailler...

À la fin de septembre 1938, une fois terminés les travaux de rénovation, Jeanne-d'Arc et Alyre s'installent dans leur nouvelle habitation du 441, rue Gédéon. La maison, qui mesure à peine 24 pieds sur 24 pieds (7,2 m sur 7,2 m), a maintenant deux portes d'entrée : celle de droite s'ouvre sur le logis de Rose-Délima et Alma ; l'autre, sur celui du jeune couple. À l'extérieur, Alyre a déposé des madriers de bois sur le sol en guise de « trottoir » et quelques rangées de grosses pierres pour délimiter les espaces ensemencés. La voie ainsi improvisée mène à une galerie qui fait toute la façade de la maison et aboutit à une laiterie où l'on conserve les aliments. À la différence du bâtiment principal, construit en planches étroites posées à l'horizontale, le garde-manger est fait de larges planches qui s'élèvent à la verticale. Avec le temps, ces revêtements de bois brut ont pris une couleur gris terne.

L'intérieur est doté de tout le confort souhaité, dont l'électricité et l'eau courante. Les fenêtres arrière offrent une vue panoramique sur la ville de Chicoutimi et le pont de Sainte-Anne qui enjambe, depuis 1933, la rivière Saguenay. Une autre porte donne accès à une seconde galerie qui, cette fois, longe l'arrière de la maison. Surélevée d'environ 4 pieds (1,2 m) et sans escalier pour y accéder, elle surplombe un terrain en pente légère. Quelques cerisiers, des framboisiers, des gadelliers[3] et un pommier y poussent librement. C'est le lieu préféré de Jeanne-d'Arc :

— J'y retrouve un peu de ma campagne...

— L'été prochain, on va s'y promener avec le bébé, renchérit Alyre en regardant tendrement son épouse.

---

3. Groseilliers.

Jeanne-d'Arc a maintenant 23 ans, Alyre en a 36, et ils attendent leur premier enfant. C'est à la maison que naît le petit Jacques, le 26 juin 1939. Noël et Clara en seront le parrain et la marraine. Le poupon apporte une douce fraîcheur dans la petite demeure de la rue Gédéon. Il ne sera pas longtemps seul : onze mois plus tard, le 12 mai 1940, une petite sœur arrive. Elle sera baptisée Denise.

L'été suivant, les jeunes parents se gâtent. Ils achètent leur première voiture, une Plymouth 1935 noire. C'est la liberté ! Ils peuvent maintenant se rendre où bon leur semble — souvent à Sainte-Rose-du-Nord, parfois à la découverte de l'un ou l'autre coin pittoresque du Saguenay, du Lac-Saint-Jean ou de la région de Charlevoix.

Le 31 décembre 1941, Jeanne-d'Arc accouche d'une seconde fillette, Marthe. Et le 4 décembre 1943, d'un nouveau garçon, Guy. Les bambins font le bonheur de tous. Rose-Délima et Alma les adorent et font tout leur possible pour alléger la tâche des parents. En retour, les petits leur apportent la tendresse et l'affection dont elles ont tant besoin. Ces derniers temps, cependant, Rose-Délima sent que ses forces la quittent. Elle s'inquiète pour sa fille Alma qui, malgré ses 50 ans, est incapable de se débrouiller seule : « Avec quatre enfants sur les bras, Jeanne-d'Arc et Alyre ne pourront certainement pas la prendre en charge quand je serai partie... » Elle en parle au père Joseph Nio, le curé de la paroisse. Celui-ci l'informe qu'il existe à Montréal une institution pour les sourdes-muettes qui pourrait accueillir Alma.

Alyre et Jeanne-d'Arc ont le cœur serré lorsque, à l'été 1944, tante Alma quitte la maison avec seulement deux petites valises, un coffre en cèdre de lingerie et quelques effets personnels. Un élément les rassure pourtant : Alma aura bientôt la possibilité d'apprendre le langage des signes. Par la suite, l'état de santé de Rose-Délima ne cesse de décliner. Le 14 juin 1945, à l'âge de 89 ans et 8 mois, elle décède paisiblement dans son sommeil. Avant de mourir, elle a pris soin de léguer par testament sa maison à son petit-fils Alyre.

Alyre et Jeanne-d'Arc, chez Lorenzo Genest,
le frère d'Alyre, à Chicoutimi.

La petite maison
du 441, rue Gédéon en 1940.
Les jeunes parents posent avec
leur premier enfant, sur les madriers
qui servent de trottoir.

La porte de droite mène au logis
de Rose-Délima et d'Alma,
l'autre à celui d'Alyre et de
Jeanne-d'Arc.

Rose-Délima berçant son
petit-fils Jacques dans sa maison.

À l'été 1941, Alyre achète
une Plymouth 1935 noire.

Jacques devant le magnifique
couvent Sacré-Cœur.

Denise et Marthe
devant l'église Sacré-Cœur.

Guy parmi les glaïeuls
que son père aime tant cultiver.

La famille de Noël Genest et de Clara Desmeules.
1re rangée : Paul, Marie, Clara, Jacqueline, Andrée et Alyre.
2e rangée : Germaine, Lorenzo, Noël et Laurette.

Sur la galerie arrière de la petite maison de la rue Gédéon.
Dernière rangée, de gauche à droite : Rose-Délima (grand-mère
d'Alyre, propriétaire de la maison), Noël (père d'Alyre),
Alma (tante d'Alyre), Alyre, Clara (mère d'Alyre).

Une zone à risque

MÉLANCOLIQUE, attristée par la bouleversante nouvelle de son cancer incurable, Jeanne-d'Arc n'arrive pas à se secouer. L'horloge du salon vient de sonner 5 heures. Son timbre transperce le silence qui règne dans la maison et ramène Jeanne-d'Arc à la réalité. Le jour est tombé. Les fenêtres sont comme de grands trous noirs lugubres. La faim la tiraille, mais, seule à la maison, elle ne peut compter que sur ses propres forces.

> Ce n'est pas parce que je connais mon état de santé que ça me rend plus malade. Au contraire, ça me permet de voir la mort en face plutôt que comme une ennemie qui pourrait me surprendre par-derrière. J'ai toujours fait face aux épreuves avec courage. Alors, je ne vais quand même pas changer d'attitude à 78 ans !

Jeanne-d'Arc se fait violence. Elle retrouve un peu de son énergie et se lève pour préparer son souper. Le repas terminé, elle allume le téléviseur pour lutter contre le sentiment de solitude qui l'accable et pour repousser ses idées noires : à peine chassée de son esprit, l'insupportable image de sa mort resurgit aussitôt. Mais, en apercevant à l'écran des bambins grouillants d'énergie, elle replonge dans son passé.

Elle se revoit avec Alyre et ses quatre jeunes enfants dans leur maison devenue presque trop grande depuis le départ de Rose-Délima. Elle y vit un bonheur paisible parfois troublé par de pénibles épreuves : le décès de sa sœur Cécile, à 29 ans, en couches de son troisième enfant ; la brève et fatale maladie de son père Wilbrod ; et puis le départ de Noël, le père d'Alyre.

Le 13 juillet 1947, on vient d'enterrer ce dernier. Malgré leur tristesse, Alyre et Jeanne-d'Arc sont restés confiants en la vie. Bien qu'en période de deuil, ils ont participé comme chaque année à la neuvaine de la bonne sainte Anne qui se déroule du 17 au 25 juillet...

Le soir du 26 juillet 1947, ils assistent aux cérémonies de la fête de sainte Anne en compagnie de Philomène qui est venue les visiter pour l'occasion. Jeanne-d'Arc est heureuse, car sa mère restera à coucher chez eux. À la sortie de l'église, les deux femmes marchent l'une près de l'autre en direction de la maison sans arrêter de se parler, oubliant presque la présence d'Alyre. Elles poursuivent leur conversation tard dans la soirée, loin de se douter de la nuit mouvementée qui les attend.

Vers une heure du matin, elles sont réveillées par Alyre qui entend des grondements étranges. Le bruit vient de l'extérieur et semble être celui d'un torrent qui dévale près de la maison. Alyre sort en toute hâte sur la galerie arrière pour voir ce qui se passe. Il est pris de panique lorsqu'il aperçoit les tonnes d'eau qui bouillonnent tout autour. Il revient en informer les femmes sans leur cacher son inquiétude.

— Toute cette eau, ça ne peut venir que du réservoir Price !

— Est-il possible qu'il y ait une brèche dans le barrage ? demande Jeanne-d'Arc qui n'attend toutefois pas de réponse. Elle sait bien que son mari n'en sait pas plus qu'elle puisqu'ils n'ont aucun moyen de communiquer avec l'extérieur.

On se prépare à toute éventualité. Les femmes montent à l'étage pour réveiller les enfants. Ensemble ils vont vivre deux heures d'extrême anxiété. Ils se sentent pris au piège. Enfants et adultes sont terrifiés par le grondement de l'eau dont le niveau n'en finit pas de monter. Aux environs de 3 heures du matin, le tumulte s'atténue puis le débit se stabilise. Quelque temps après, Alyre constate que le niveau de l'eau a commencé à baisser. Estimant le pire passé, les femmes recouchent les enfants puis viennent retrouver Alyre. Jeanne-d'Arc sent le besoin de se rassurer.

— Es-tu bien certain, Alyre, que le danger est passé ?

— Si la maison a résisté au plus fort du torrent sans que l'eau s'infiltre, il ne devrait plus y avoir de problème. De toute façon, je vais faire le guet pour le reste de la nuit.

— C'est dommage que ça arrive juste pendant votre visite, dit Jeanne-d'Arc à sa mère qu'elle voit pâle et silencieuse.

— L'important, c'est qu'il n'y ait pas eu de blessé, répond calmement Philomène.

— Allez-vous être capable de vous rendormir ?

— J'aimerais mieux rester debout… ça m'a rendue tellement nerveuse !

— Je prépare du café pour tout le monde. La nuit va être longue !

Au lever du jour, ils constatent avec horreur les dommages causés par l'eau. Le potager a disparu ; les carottes, la laitue, les betteraves, les fèves et les échalotes ont été emportées avec toute la terre du jardin. Les cerisiers, les framboisiers et les gadelliers ont aussi été entraînés vers la rue Taché. Le lendemain, Jeanne-d'Arc et Alyre apprennent qu'une erreur humaine est à l'origine de l'accident : un des employés du barrage Price aurait oublié d'ouvrir les vannes[1].

D'autres familles de la rue Gédéon et de la rue Taché ont subi le même sort. Le spectacle est désolant. Le courant a tout arraché sur son passage, il n'a laissé qu'un lit de roches dans son sillage. Courageux, les habitants se mettent aussitôt au travail pour tout nettoyer et reconstruire. L'événement est vite oublié. Et personne ne semble en avoir tiré de leçon...

---

1. *Saguenayensia* – La revue d'histoire du Saguenay–Lac-Saint-Jean, vol. 38, n°s 3-4 (juillet-décembre 1997), p. 47.

Le déversement de 1947. Le spectacle est désolant :
tout a été arraché par le courant qui n'a laissé qu'un lit de roches dans son sillage.

La famille s'agrandit, la maison s'embellit

DANS SES TEMPS LIBRES, Alyre fait des travaux de charpenterie. La maison, qui aura bientôt 50 ans, nécessite de constantes réparations, sans compter les besoins de la famille, qui souhaite avoir plus d'espace et de confort. Il construit une lucarne sur le versant ouest du toit, ce qui lui permettra d'ajouter des fenêtres de ce côté de l'habitation et donnera l'espace nécessaire pour installer une salle de bains complète. Les enfants grandissent. Jacques, Denise et Marthe ont maintenant 10, 9 et 7 ans, et vont à l'école. Il ne reste plus que Guy à la maison, mais il n'est pas longtemps seul : le 22 septembre 1949, deux semaines après le début des classes, naît Claude, troisième fils de Jeanne-d'Arc et Alyre.

Les jours et les mois qui suivent se déroulent sans grands soucis. Les enfants sont en santé. Alyre a un bon emploi et, bien qu'un peu autoritaire, il se montre attentif aux besoins de tous et se révèle un excellent père de famille. Jeanne-d'Arc, elle, a un bon sens de l'organisation et se tire bien d'affaire avec ses cinq enfants. Femme d'intérieur décidée, qui sait s'exprimer et se faire entendre, elle est peu encline à la vie sociale, mais demeure très attachée à sa famille. Lorsque la nostalgie de sa campagne la prend, le clan part, le dimanche après-midi, dans la grosse *station-wagon* 1947 striée de bois[1], visiter la parenté de Jeanne-d'Arc du côté de Sainte-Rose-du-Nord.

Comme Jeanne-d'Arc aime s'occuper de la maison et s'y trouve bien à l'aise, rien ne s'oppose à ce que la famille s'agrandisse encore. Ainsi naissent Marcel, le 17 août 1951 à l'Hôtel-Dieu-Saint-Vallier — c'est la première fois que Jeanne-d'Arc accouche à l'hôpital —, et Daniel, le 4 janvier 1953.

S'occuper de sept enfants, dont l'aîné n'a pas encore 14 ans, représente une besogne considérable. Cependant, fidèle à elle-même, Jeanne-d'Arc demeure sereine :

— Heureusement que je peux compter sur mon Alyre, l'entend-on répéter souvent.

Alyre est un père avant-gardiste qui n'hésite pas à s'occuper des tâches domestiques traditionnellement exécutées par les femmes : il achète la nourriture et les vêtements des enfants, s'occupe des devoirs et des leçons, coupe les cheveux des garçons, endort les plus jeunes après le dîner et, le dimanche, aide Jeanne-d'Arc à préparer le repas du midi. Il voit aussi aux travaux extérieurs, entretient le petit jardin et cultive de très beaux glaïeuls de toutes les couleurs. Il a depuis toujours une vive inclination pour ces fleurs dont il fait de gros bouquets pour la maison et pour sa mère.

---

1. Modèle de voiture familiale dont la carrosserie était ornée de simili-bois.

En général, c'est Jeanne-d'Arc qui voit aux mauvaises herbes dans le jardin, «histoire de prendre un peu d'air frais», dit-elle souvent. Toutefois, depuis quelques jours, Alyre désherbe lui-même car le temps est exécrable et le terrain est tout détrempé. Un après-midi, il revient à la maison quelque peu démoralisé :

— Il y a encore une bonne quantité de terre qui a déboulé vers la rue Taché. Il va falloir que je me décide à construire un mur de soutènement pour stabiliser le terrain.

— Mais tu n'avais pas parlé de construire d'abord des nouvelles fondations à la maison ?

— Tu as raison... Il serait préférable que je commence par me faire un bon solage². Je ferai le mur plus tard. Je pourrais me servir de l'argent que j'ai reçu de la compagnie Price quand le barrage a débordé.

— Ah oui, ça serait la meilleure façon de l'utiliser ! On aurait tellement besoin d'un sous-sol pour de l'espace supplémentaire.

— Ce qui me préoccupe le plus, c'est que la maison est construite sur une base en pierre qui repose directement sur la terre. Quand le barrage a débordé, si l'eau avait eu le temps de gruger la terre en dessous des fondations, on aurait pu avoir des dommages bien plus importants.

— On a peut-être frôlé la catastrophe...

— Ne t'inquiète pas. Si je refais les fondations, elles vont être à toute épreuve !

---

2. Fondations.

Le 1er juillet 1953, Alyre entreprend les premières démarches. Il évalue d'abord en divers points la profondeur à laquelle se trouve le rocher sous la maison. Il est convaincu que les nouvelles fondations devront reposer sur le roc et qu'elles devront y être solidement ancrées. Il prend conseil auprès de la firme d'ingénieurs Lavoie et Delisle pour laquelle il travaille, afin d'être renseigné sur la meilleure façon de procéder. On lui suggère de percer dans le roc des trous de 6 à 9 pouces (15 à 23 cm) de profondeur et d'y placer des tiges d'acier de 18 pouces (46 cm) de longueur. Pour que ces tiges soient fermement retenues, on lui propose d'insérer dans les cavités du soufre chauffé qui deviendra dur comme de la pierre en refroidissant. L'autre partie des tiges pénétrera dans le ciment des fondations pour assurer une plus grande solidité. Il estime ensuite la quantité de béton dont il aura besoin pour les fondations. D'après ses calculs, il lui faudra 25,85 verges cubes (19,48 m³) de ciment.

Pour exécuter les travaux, Alyre choisit un entrepreneur du quartier, Ovila Gauthier. Celui-ci devra soulever la maison et la déposer sur des cages de bois d'une hauteur de 10 pieds (3 m) pour la durée des travaux. Il lui faudra aussi aplanir le cran en dynamitant les parties surélevées à l'ouest et au nord, et construire des formes pour y couler le ciment, puis replacer la maison sur ses nouvelles assises.

Le 13 juillet 1953, par un beau matin ensoleillé, les ouvriers commencent le chantier. Les journées passent, les travaux avancent, et le temps est splendide. C'est même la canicule.

Irène Gauthier, une amie et voisine de Jeanne-d'Arc, s'inquiète de ne plus la voir et décide de lui rendre visite.

— Par où est-ce que je peux passer ? crie Irène du bout du terrain à son amie derrière la porte-moustiquaire.

— Par la montée de bois. Sois prudente ! lui répond Jeanne-d'Arc, tout heureuse d'avoir de la visite.

— Le chantier va bon train à ce que je vois...

— Les hommes travaillent sans arrêt depuis déjà trois semaines. Je trouve ces travaux interminables.

— Je comprends ! Et la cour est un vrai champ de boue. Tu ne dois pas être capable de sortir.

— Il faut que je garde les plus jeunes à l'intérieur... et c'est tout un contrat que de tenir la maison propre.

— Pauvre toi ! Tu ne perds pas trop le moral, j'espère ?

— Pas du tout, répond Jeanne-d'Arc, le regard brillant. J'ai tellement hâte de voir les résultats !

Les résultats, ils les voient à la fin d'août, avec beaucoup de joie et un grand soulagement.

— Notre maison, elle a fière allure, hein Alyre ?

— Ah oui ! Et à cette hauteur, la vue sur le Saguenay et sur la ville va être encore plus belle !

Ils sont si fiers de leur petite maison qu'ils décident de lui refaire une beauté extérieure en appliquant une peinture blanche sur ses planches de bois vieilli...

En 1953, la famille de Jeanne-d'Arc et d'Alyre compte sept enfants :
Jacques 14 ans, Denise 13 ans, Marthe 11 ans, Guy 9 ans,
Claude 4 ans, Marcel 2 ans et Daniel 6 mois.

Au retour du beau temps, on reprend les sorties du dimanche.

« Si je refais les fondations,
elles seront à toute épreuve. »

À l'été 1953, Alyre décide de refaire
les fondations de sa maison et de la peindre en blanc.

Au Bassin

ALYRE ET JEANNE-D'ARC se félicitent d'avoir choisi Le Bassin comme lieu de résidence. C'est un milieu dynamique qui se prête bien à l'éclosion de la vie sociale de leurs enfants.

Ce dynamisme, les gens du quartier le doivent aux pères Eudistes qui se sont donné la mission d'œuvrer auprès des familles et plus particulièrement auprès des jeunes. Ce sont justement eux qui ont fait construire le magnifique centre de loisirs inauguré le 12 septembre 1952. Ils tenaient à ce que les jeunes aient un endroit où se regrouper et se divertir dans de saines activités. On y retrouve six allées de petites quilles, cinq tables de billard, une salle de spectacles, un restaurant et des locaux pour les associations catholiques, telles que la Jeunesse étudiante catholique et la Jeunesse ouvrière catholique. L'hiver, la cour arrière du complexe est transformée en patinoire, laquelle est sans contredit la principale attraction des jeunes durant toute la saison.

Les pères Eudistes ne sont pas les seuls à s'occuper des jeunes. Les professeurs aussi s'impliquent beaucoup. En plus d'enseigner les matières de base, ils apprennent aux enfants la bienséance, le sens moral, le chant, la musique et différentes formes d'expression artistique. Les filles fréquentent l'école Sacré-Cœur, un couvent dirigé par les sœurs du Bon-Pasteur, et les garçons, les écoles Saint-Joseph et Saint-André. Les membres du clergé résident pour la plupart dans le magnifique presbytère de style Renaissance qui a été construit en 1919 à côté de l'église, à l'exception des religieuses du Bon-Pasteur qui habitent dans le couvent. Tous et toutes se tiennent à la disposition des paroissiens, prêts à les assister dans leurs préoccupations quotidiennes et à collaborer à leurs réussites.

Le presbytère, le couvent et le centre de loisirs sont regroupés autour de l'église paroissiale, un magnifique monument architectural de style néogothique. Les murs extérieurs de l'édifice en belles pierres de taille grises, le clocher d'argent, les vitraux colorés ainsi que l'aménagement intérieur somptueux en font une véritable œuvre d'art dont les paroissiens sont très fiers. La maison d'Alyre est située à quelques pas de ces quatre bâtiments et tout près également des commerces que l'on retrouve dans les rues avoisinantes, dont une boulangerie qui est exploitée par son frère Lorenzo.

Ordinairement, c'est Alyre lui-même qui se rend chez les commerçants. Son épouse ne se sent pas à l'aise dans les endroits publics. Elle n'en parle jamais ouvertement, mais elle préfère nettement la sécurité de sa petite maison et semble chercher tous les prétextes pour ne pas sortir trop souvent en ville.

Le couple a donc trouvé une façon bien personnelle de se partager les tâches. Ainsi, durant le temps des Fêtes, c'est Alyre qui magasine les cadeaux qu'il dissimule minutieusement dans le hangar. C'est aussi lui qui, la veille de Noël, entre le sapin au salon, le décore de lumières, de boules, de guirlandes, de cheveux d'ange, et fixe la belle étoile de Bethléem à son sommet. Il s'applique ensuite à recréer un décor hivernal au pied de l'arbre pour y déposer la crèche qu'il a fabriquée, avant de se marier, avec de petits rondins de bois. Enfin, il met en place les personnages bibliques, à l'exception de l'enfant Jésus qu'il ne déposera qu'à minuit. Quant aux Rois mages, ils n'apparaîtront dans le décor que le 6 janvier.

Pendant ce temps, Jeanne-d'Arc dresse la table pour le réveillon. Elle sort sa vaisselle de porcelaine anglaise et ses ustensiles reluisants, réservés aux grandes occasions, et les aligne soigneusement sur sa belle nappe de Noël imprimée de poinsettias. Toutes les demi-heures, elle arrose la dinde farcie qu'elle a enfournée tôt dans la soirée. La cuisine dégage un fumet appétissant, mais personne ne doit céder à la tentation de goûter puisqu'on doit être à jeun pour pouvoir communier. Comme il est hors de question de célébrer la Noël sans assister à la messe de minuit et sans recevoir la communion, personne n'insiste.

Ce n'est pas avant 1 heure 30 du matin que les enfants pourront déballer leurs cadeaux : il faut attendre Alyre qui assiste aux deux messes basses qui suivent la messe de minuit chantée en latin. Le moment venu, on réveille les petits qui, vêtus de leur plus joli pyjama, se joignent aux grands pour festoyer. Après le dépouillement des cadeaux, la famille passe à table pour le réveillon. On savoure enfin la fameuse dinde farcie, les pâtés à la viande et tout ce que Jeanne-d'Arc a préparé pour accompagner ces mets. On termine le repas avec la traditionnelle bûche de Noël, un gâteau des anges roulé à la confiture de fraises et enrobé d'un glaçage onctueux imitant une vraie bûche[1]. La nuit se poursuit dans la musique et les chants. Les filles jouent au piano les chansons de Noël que les religieuses leur ont apprises avant les fêtes, puis Alyre prend la relève avec des airs populaires.

Aussitôt après Noël, on se prépare pour le premier de l'An, avec ses traditions qu'Alyre tient tant à respecter. Dès le matin, il donne avec solennité la bénédiction paternelle à sa famille, puis tous s'échangent des bons vœux pour la nouvelle année. Alyre remet ensuite une étrenne toute particulière aux enfants : des livres. Par ce geste, il veut leur faire comprendre l'importance de la lecture et le plaisir que l'on peut avoir à recevoir autre chose que des jouets. Le reste de la journée se passe chez grand-maman Genest qui réunit ce jour-là tous ses enfants et petits-enfants. De telles retrouvailles, si chaleureuses, donnent à Jeanne-d'Arc et à Alyre le courage d'entreprendre une nouvelle année. Et la routine reprend pour le reste de l'hiver...

Pendant la journée, les grands sont à l'école. Le soir et les fins de semaine, ils jouent dehors, vont à la patinoire ou s'amusent dans l'immense hangar qui occupe une grande

---

1. Les recettes de la dinde et de la bûche sont données aux pages 172 et 173.

partie du terrain et ne manque pas d'attirer les enfants du voisinage. Les familles Morais, Côté, Robin, Morin, Fortier, Tremblay et Villeneuve comptent elles aussi plusieurs enfants, et toute cette bande bien vivante traverse inlassablement d'une cour à l'autre, animant le quartier de ses cris, de ses chamailleries et de ses jeux.

Jeanne-d'Arc passe une bonne partie de son temps dans la cuisine où elle nettoie, lave et repasse le linge, et fait la popote pour neuf personnes. En plus des trois repas quotidiens, elle prépare un nombre considérable de collations, sauf au temps du carême, évidemment ! Dès le mercredi des Cendres, et pour les 46 jours à venir, Alyre et Jeanne-d'Arc demandent aux enfants de ne rien manger entre les repas et de se priver de friandises et de desserts. Alyre insiste aussi pour que ses enfants l'accompagnent tous les matins à la messe de 6 heures. Ces règles de conduite sévères prennent fin le samedi de Pâques alors que les cloches, envolées à Rome dit-on, reviennent carillonner l'Angélus du midi, annonçant la fin des mortifications. Ce n'est que le lendemain, toutefois, qu'on versera dans l'abondance. Le matin de Pâques, chocolat et friandises font le bonheur de tous. Et comme pour rattraper le temps perdu, on continue de se délecter au repas du midi où le traditionnel jambon et les desserts chocolatés sont à l'honneur. Les plus jeunes reçoivent des petits poussins tout jaunes et bien vivants, lesquels picoreront librement sur le terrain jusqu'à leur maturité.

Au retour du beau temps, la maisonnée reprend ses sorties du dimanche. Le plus souvent, on se dirige vers

Sainte-Rose-du-Nord pour visiter les sœurs de Jeanne-d'Arc : Georgette et Myrto au Tableau, Gilberte à l'Anse-d'en-Bas, ou Jacqueline au lac Travers. Parfois, on se rend aussi chez Laurette, la sœur d'Alyre, à Saint-Honoré.

Pour les enfants, c'est l'occasion de goûter à la liberté, à l'air pur et aux grands espaces. Avec leurs cousins et cousines, ils courent dans les champs et sur la grève, sautent dans le foin, gambadent avec les chiens, conduisent les vaches au pâturage, jouent à la cachette et à tant d'autres jeux qu'eux seuls savent inventer. Les adultes s'occupent des repas, surveillent les petits et, lorsque le temps le permet, se bercent doucement sur la galerie, meublant leur temps de conversations amicales et parfois de discussions animées sur la politique, une activité qu'Alyre pratique avec passion.

En fin d'après-midi, les visiteurs du dimanche repartent les bras chargés de produits bien frais de la ferme — lait, crème, œufs et légumes — que la parenté leur a offerts. À leur tour, les frères et sœurs de Jeanne-d'Arc profiteront des circonstances qui les obligent à « monter en ville » pour venir prendre quelques repas ou coucher chez les Genest.

Parfois les randonneurs changent leur itinéraire pour visiter Germaine, une autre sœur d'Alyre qui vit à Saint-Prosper dans le comté de Dorchester. À 21 ans, Germaine a été admise au sein de la communauté des religieuses du Bon-Pasteur et porte depuis le nom de sœur Saint-Noël-Chabanel. Étonnamment vive, malgré sa lourde robe noire et l'encombrante cornette qui enserre son visage, la petite sœur d'Alyre paraît toujours heureuse de recevoir de la visite. Elle les accueille à peu près chaque fois de la même façon. Après avoir conversé un moment au parloir, elle propose de distraire les enfants en les emmenant à la chapelle, dans les classes, à la buanderie, au réfectoire et même dans sa chambre. À l'heure du dîner, elle dirige son monde dans le petit parc aménagé derrière le couvent où ils pique-niquent près de la belle fontaine. Au moment de quitter sa sœur, Alyre lui offre quelques gâteries. En retour, elle leur promet de penser à eux dans ses prières.

Alyre et Jeanne-d'Arc emmènent aussi de temps en temps les enfants à l'Ermitage Saint-Antoine du lac Bouchette ou au Jardin zoologique de Québec. Ils apprécient d'autant plus ces promenades que, dans leur quartier, la plupart des familles n'ont pas la chance de disposer d'un véhicule. Celui d'Alyre est fourni par la compagnie pour laquelle il travaille. Depuis trois ans, il profite d'une camionnette Chevrolet 1952 de couleur verte munie de trois longs sièges pouvant aisément accueillir huit passagers. Aussi, lorsqu'il rentre du travail, les enfants de la rue accourent pour prendre place à bord du véhicule. Ils savent qu'ils auront droit à un « tour d'auto ». Le trajet est pratiquement toujours le même : départ de la rue Gédéon, direction rues Bossé, Dréan, Price, Taché ou Sainte-Marthe, puis retour sur Bossé et Gédéon.

À la fin d'août, c'est le temps de passer aux choses sérieuses. Le couple doit prévoir les grosses dépenses d'automne. D'abord, quelques provisions alimentaires en vue de l'hiver. Alyre achète 25 poches de 50 livres (23 kg) de patates, 3 poches de carottes et de navets, une poche de farine et une autre de 100 livres (45 kg) de sucre, qu'il entrepose dans la chambre froide nouvellement aménagée au sous-sol. Au même endroit, sur des tablettes, s'accumulent les produits du jardin que Jeanne-d'Arc met en conserve — betteraves, petits oignons blancs, ketchup vert[2], confitures, gelées et autres.

La rentrée des classes entraîne l'achat des livres et du matériel scolaire, ainsi que des uniformes exigés par les institutions enseignantes. Vient ensuite le moment d'assumer les coûts de quatre camions de bois de chauffage non débité, qu'il faudra scier en rondins de 16 pouces (40 cm), fendre et corder dans le hangar. Pour se faciliter la tâche, Alyre a fabriqué un plateau de sciage, un « banc de scie » comme on l'appelle, sur lequel il a installé un moteur. Il compte aussi sur la collaboration de ses garçons pour accomplir le travail.

Avant d'affronter un nouvel hiver, on s'offre une petite récompense. Pour la fête de la Sainte-Catherine, célébrée le 25 novembre, Jeanne-d'Arc prépare deux recettes de tire qui lui viennent de Rose-Délima : de la brune à base de mélasse et de la blanche à base de sucre et de sirop de maïs[3].

— Te souviens-tu, Alyre, du temps où j'étirais la tire avec ta grand-mère sur la galerie ?

— Bien sûr que je m'en souviens ! C'est comme si c'était hier. Et pourtant ça fait déjà dix ans qu'elle est partie...

---

2. Marinade composée de tomates vertes, de pommes, d'oignons et d'épices.

3. Les deux recettes de tire de Rose-Délima sont données aux pages 170 et 171.

Une visite à tante Germaine (sœur Saint-Noël-Chabanel).

Une randonnée à l'Anse-d'en-Bas dans la camionnette Chevrolet 1952 (à gauche).

En 1952, une classe de troisième année
à l'école Saint-André. (En médaillon, l'auteur Guy Genest.)

Une vue aérienne du Bassin.

1. Réservoir Price
2. Bassin
3. Église Sacré-Cœur
4. Centre de loisirs
5. Rue Gédéon
6. Rue Taché
7. Rue Sainte-Marthe
8. Rue Price
9. Rue Bossé

 Maison d'Alyre   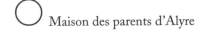 Maison des parents d'Alyre

Les derniers travaux d'Alyre

ALYRE A ENCORE DE LA DIFFICULTÉ à stabiliser son terrain qui a tendance à glisser vers la rue Taché lors de grosses pluies. En 1956, il envisage sérieusement de construire son fameux mur de soutènement pendant ses prochaines vacances, au mois de juillet. Il sait que ce sera un travail exténuant et il regrette de ne pouvoir compter sur la collaboration de Jacques, son fils aîné, qui travaille chez un entrepreneur pour l'été.

— À nous deux, je pense qu'on pourrait faire le travail, confie-t-il à Guy, son deuxième fils de 13 ans. À ton âge, tu es certainement capable de bien me seconder.

— Ça va me faire plaisir de t'aider, lui répond Guy, tout heureux de la confiance que son père lui témoigne. Mais comment est-ce qu'on va s'y prendre ?

— Pour ancrer notre ciment au roc, on va employer la même méthode que celle de l'entrepreneur qui a fait mon solage il y a trois ans. On va utiliser des tiges de fer pour raccorder le ciment au cran. Ensuite, on va fabriquer des formes avec les vieilles planches qui sont empilées dans le hangar. Après, il va juste nous rester à les remplir de ciment.

— Et le ciment, on va le faire comment ?

— On va utiliser une vieille recette qui a fait ses preuves : une pelletée de ciment, trois pelletées de sable et de l'eau qu'on va mélanger, avec la pelle carrée, dans une boîte qu'on va fabriquer nous-mêmes. Ensuite on va verser ce béton dans les formes, puis on va ajouter des cailloux, beaucoup de cailloux. Ça va être un gros travail, mais on devrait obtenir de bons résultats...

Tout au long de l'été, le travail s'accomplit comme convenu. À la fin du mois d'août, tel un rempart de forteresse, un solide muret protège enfin la cour arrière du 441, rue Gédéon.

L'année suivante, Alyre peut cultiver toute la surface de son terrain sans craindre de perdre sa terre. Le temps se montre exceptionnellement clément et Jeanne-d'Arc en profite pour prendre l'air. Le couple rayonne de bonheur. À 41 ans, Jeanne-d'Arc porte son huitième enfant, et son mari, bien qu'âgé de 54 ans, est aussi enthousiasmé par cette grossesse qu'il l'était par les autres. Le 2 décembre 1957, Jeanne-d'Arc met au monde un adorable petit garçon qui sera baptisé Robert. Le poupon réjouit ses frères et sœurs dont les âges s'échelonnent maintenant entre 5 et 18 ans.

Les habitudes de la famille changent peu à peu, particulièrement, au début de 1958, alors que le téléphone et la télévision font leur entrée dans le salon occupé aussi par les plus vieux qui commencent leurs fréquentations amoureuses. Dix personnes dans la maison, ça bouge ! Alyre continue de travailler dur pour nourrir et faire instruire tout ce beau monde. Depuis quelque temps cependant, il ne se sent pas très bien. Il a perdu l'appétit et souffre de brûlures persistantes à l'estomac. Ne voyant pas la nécessité de consulter un médecin, il soulage ses douleurs en consommant un antiacide en quantité excessive.

Le couple vit encore de formidables moments, dont le mariage de Denise en 1962, l'arrivée du premier petit-enfant en 1963 et le mariage de Jacques en 1964. Mais la santé d'Alyre continue de se détériorer. Il se décide enfin à consulter un médecin, fait quelques séjours à l'hôpital et y subit deux opérations sans grand succès. Durant l'été 1965, au retour de l'une de ces hospitalisations, il écrit ces quelques lignes à son fils Guy, qui travaille comme garde-feu pour le ministère des Terres et Forêts pendant les vacances.

Chicoutimi, 12 août 1965

Mon cher Guy,

Ne sois pas trop surpris, car c'est presque un revenant qui t'écrit, car mon cher garçon, tu as passé bien près d'être orphelin. Oui mon vieux, j'ai été bien près de la mort. J'ai congestionné des poumons et les docteurs ont été obligés de me faire un trou dans la gorge pour me permettre de souffler car j'étouffais. Dans le trou qu'on m'a fait, on a placé un tube d'oxygène. Tout ça est passé à présent. Je prends des forces de jour en jour. Ça a fait deux semaines le 10 août que je suis sorti de l'hôpital. Je t'assure que je ne suis pas encore bien fort. Je « branle dans le manche ».

Peu de temps après, Alyre apprend qu'il est atteint d'un cancer incurable. Pendant les mois qui suivent, la famille vit dans le désarroi et la peine, assistant impuissante à son dépérissement. Le 2 mars 1966, il décède à l'âge de 63 ans, laissant derrière lui son épouse, ses huit enfants dont le dernier n'a que 9 ans, et deux petits-enfants.

◌

Jeanne-d'Arc entend des plaintes... C'est Nanny, sa chatte angora blanche qui arrive du sous-sol et réclame sa nourriture.

Tiens, c'est un bon prétexte pour me lever et cesser de penser à ce triste épisode de ma vie...

Le doux contact du petit animal se frottant sur ses jambes, prêt à donner sans compter son affection pour quelques gouttes de lait, lui redonne le sourire. Elle se sent d'ailleurs plus sereine que cet après-midi alors qu'elle apprenait qu'il ne lui restait peut-être pas plus de six mois à vivre. Elle vaque à quelques tâches domestiques et se met au lit de bonne heure, épuisée par cette journée éprouvante.

Le lendemain, Jeanne-d'Arc se réveille avant même que le soleil ne se lève. Comme d'habitude, c'est par la prière qu'elle commence sa journée : « Mon Dieu, donnez-moi la force de continuer. » Elle se souvient avoir demandé la même faveur après la mort d'Alyre, mais un petit mot de plus s'ajoutait alors à sa phrase : « Mon Dieu, donnez-moi la force de continuer *seule*. »

Dès le lendemain de l'enterrement de son époux, elle avait pris son courage à deux mains et s'était rendue chez le notaire pour connaître les dernières volontés d'Alyre. Celles-ci étaient simples :

Je vous demande de prier pour moi et de faire chanter quelques messes pour le repos de mon âme. Je laisse à mon épouse bien-aimée la succession de tous mes biens.

Ces biens consistent en la maison familiale, dont Alyre a hérité de sa grand-mère vingt et un ans auparavant, et une police d'assurance de 1000 $. Jeanne-d'Arc est au moins sûre que ses enfants auront un toit et grandiront dans un environnement agréable. Pour le reste, il faudra qu'elle se débrouille.

Elle doit d'abord payer les funérailles et régler les nombreuses dettes accumulées pendant la maladie d'Alyre. Les longs séjours à l'hôpital, les honoraires des médecins, les transports en ambulance, les soins divers et les médicaments ont coûté très cher, et la majorité des factures n'ont pas encore été acquittées. Heureusement, elle peut compter sur l'aide de Marthe qui enseigne à l'école Saint-Joseph.

Le temps passe et même si Jeanne-d'Arc multiplie les miracles pour tout faire avec presque rien, elle n'arrive pas à joindre les deux bouts. En novembre, elle décide de rencontrer les médecins qui ont soigné son mari et de leur faire part de sa situation financière. C'est un douloureux acte d'humilité qui ravage sa fierté. Spontanément, les spécialistes lui proposent d'oublier ses dettes envers eux et lui souhaitent tout le succès possible dans l'éducation et

Adhémar Raynault   Alyre Genest

l'instruction de ses enfants. Ce geste de générosité, la jeune veuve n'est pas prête de l'oublier.

Avec l'aide de Dieu, comme dirait Jeanne-d'Arc, mais aussi par le travail et la persévérance, la famille retrouve bientôt son équilibre. Le 2 mars 1967, tous sont rassemblés pour assister à la messe anniversaire du décès d'Alyre : « une belle occasion de lui rendre un dernier hommage et de lui témoigner toute notre estime », déclare l'un des enfants dans la petite allocution qu'il a préparée pour la cérémonie.

Après la messe, à l'église Sacré-Cœur, Jeanne-d'Arc, ses enfants et leurs conjoints reviennent à pied à la maison familiale. Autour de la table, ils prennent plaisir à évoquer le passé, et tout particulièrement les bons moments partagés avec Alyre. Si les plaies se sont refermées, son souvenir, lui, est gravé pour toujours.

Un des enfants de Jeanne-d'Arc a apporté un document qu'il a retrouvé dans ses papiers. C'est une photographie d'un ancien maire de Montréal, Adhémar Raynault, qu'il a découpée dans le journal *Le Soleil*[1]. La ressemblance avec Alyre est stupéfiante. Jeanne-d'Arc s'empresse d'aller chercher une photo de son mari. Elle la tient dans sa main gauche et prend dans sa main droite celle de son sosie. Les traits des deux hommes sont pratiquement les mêmes !

Jeanne-d'Arc essuie quelques larmes avec son tablier.

---

1. *Le Soleil*, 4 sept. 1965. Photo : tous droits réservés.

Alyre, âgé de 55 ans, lit près du téléviseur
nouvellement arrivé dans le salon.

Jeanne-d'Arc, âgée de 42 ans, tient
dans ses bras son dernier-né, Robert.

Les quatre derniers ne sont âgés que de 11 ans, 9 ans,
7 ans et 3 ans, lorsque la santé du père commence à décliner.

Et la vie continue

BIEN QUE, DEPUIS LE DÉCÈS D'ALYRE, Jeanne-d'Arc doive s'acquitter de tâches et de responsabilités dont elle était autrefois dégagée, elle se tire bien d'affaire. Sa besogne a passablement diminué car, à présent, il ne reste plus que six personnes à la maison. Après le départ de Denise et Jacques, et le décès d'Alyre, c'est maintenant Guy qui est parti travailler comme électricien pour Hydro-Québec, sur la Côte-Nord, avec Madeleine sa nouvelle épouse.

Avant son départ, Guy a refait le système électrique de la maison, et le confort de Jeanne-d'Arc s'en est trouvé considérablement accru. Le vieux poêle à bois a cédé la place à une cuisinière électrique et la demeure est maintenant équipée d'un chauffage central à l'huile. Ces transformations ravivent chez elle de vieux souvenirs :

Je me rappelle à quel point papa se passionnait pour les nouveautés. Qu'il aurait aimé voir tous ces changements ! Moi, ça m'a fait bien de la peine d'avoir à me séparer de mon beau poêle à bois. Il prenait une si grande place dans la cuisine et nous rendait tellement de services depuis si longtemps... J'avais fini par croire qu'il avait une âme !

Je ne passais jamais une journée sans le frotter pour faire briller le plus possible son chrome et son émail. J'en étais si fière !

Jeanne-d'Arc n'est cependant pas sans se rendre compte de tous les avantages de la nouvelle cuisinière : fini le bois à commander, à fendre, à corder et à rentrer ; fini de se lever à 4 heures du matin pour chauffer le poêle ; terminées les inquiétudes au sujet du feu qui pouvait se propager à tout moment dans les longs tuyaux qui parcouraient la maison ; fini de cuisiner au-dessus d'un poêle dont la chaleur était parfois insupportable. Bref, c'est le grand luxe !

Le vieux hangar dans la cour avant a été débâti pour mieux laisser pénétrer le soleil dans la maison et pour agrandir le terrain. L'espace est maintenant gazonné, pourvu d'un stationnement et délimité par une haie de cèdres bien taillée. Jeanne-d'Arc s'est découvert des talents d'horti-cultrice et, été après été, on peut voir devant la petite maison blanche une variété de fleurs toujours plus impressionnante. Tôt au printemps jusque tard à l'automne, on peut la voir autour de ses plates-bandes, cultivant de magnifiques pivoines, des roses, des iris et des glaïeuls, ainsi qu'une grande quantité de fleurs annuelles.

Le temps s'écoule lentement, sans gros problème familial. Le 5 mai 1971, toutefois, c'est la région tout entière qui est affligée par une terrible nouvelle qu'on peut lire dans *La Presse*.

CATACLYSME AU SAGUENAY

Un cataclysme aussi soudain que meurtrier a plongé le paisible village de Saint-Jean-Vianney de Shipshaw dans la stupeur, hier [4 mai 1971] soir, alors que quelque 35 maisons (sur un total de 70) ont été englouties dans une mer de boue. Bien que les fouilles soient à peine commencées, on craint que le nombre de victimes dépasse 25 ou 30 [en fait, l'événement devait causer 31 pertes de vie].

C'est vers 11 heures, hier soir, que le sol s'est ouvert soudainement, entraînant dans un immense cratère de près d'un mille de long sur 150 pieds de profondeur et 100 pieds de large [1,6 km de long sur 46 m de profondeur et 31 m de large], environ 35 maisons, la plupart récemment construites.

Un certain nombre de maisons sont demeurées juchées sur les bords de la falaise, dans un équilibre précaire.

Un porte-parole de la police de Kénogami, l'agent Paul Roussseau, a informé *La Presse* cette nuit que de 50 à 75 familles ont dû sortir en toute hâte de leur foyer menacé par le glissement de terrain.

La première alerte a été donnée par des voisins qui ont réclamé l'aide de la Sûreté du Québec, détachements de Saint-Ambroise et de Chicoutimi.

Dépêchés immédiatement sur les lieux, les agents se sont mis en communication avec la base militaire de Bagotville qui a envoyé deux hélicoptères en reconnaissance.

Les premiers sauveteurs arrivés sur les lieux, ainsi que les résidants indemnes du secteur sinistré, ont déclaré avoir entendu des cris d'angoisse, de détresse et d'appels au secours, provenant des maisons qui s'engouffraient dans cette mer de boue.

La Presse, 100 ans d'actualités, 1900-2000, Montréal, La Presse, 1999, p. 125.

Toute la région est en deuil. Plusieurs citoyens de Saint-Jean-Vianney et des localités environnantes ont perdu un parent, un ami ou un compagnon de travail dans cette terrible tragédie qui a causé 31 pertes de vie. Jeanne-d'Arc a elle-même perdu une cousine dans ce triste événement qui a provoqué la fermeture définitive du petit village.

La vie continue. Jeanne-d'Arc, qui avait tant douté de sa capacité à poursuivre seule son chemin après le décès d'Alyre, commence à goûter aux fruits de son labeur. Les garçons ont traversé leur adolescence sans avoir causé trop de problèmes, et ils ont manifesté de la bonne volonté dans leurs études. En 1975, déjà, trois des quatre derniers sont sur le marché du travail. Claude s'est déniché un bon emploi de fonctionnaire, Daniel gère sa propre entreprise et Marcel vient d'obtenir son doctorat en médecine de l'Université Laval à Québec. Quant à Robert, il poursuit ses études à l'université de Sherbrooke dans le but de devenir comptable agréé. Quelle joie! Et quelle fierté pour la mère de famille qui ne s'attribue pas pour autant tous les mérites de cette réussite.

> Quand j'ai assisté à la remise du diplôme de médecine de Marcel, je me suis rappelé le geste de générosité des médecins qui avaient annulé ma dette envers eux après la mort d'Alyre. J'ai remercié le ciel pour toutes ces personnes qui ont été placées sur mon chemin presque par miracle et qui m'ont aidée à accomplir mon devoir.

À présent, c'est la maison qui est dans le besoin. Elle tient bon depuis 77 ans, mais elle montre des signes évidents de fatigue. À l'été 1977, Jeanne-d'Arc décide de profiter des subventions accordées par le gouvernement en vue d'améliorer les vieilles demeures du quartier. Pour y avoir droit, elle doit d'abord répondre à un questionnaire précis concernant l'état de son habitation. Elle a donc demandé à deux ouvriers de venir l'inspecter. Au sous-sol, ils s'extasient devant la robustesse des constructions d'autrefois.

— Regarde-moi donc le plancher! Tout fait en gros madriers de 10 pouces sur 3 [25 cm sur 7,5 cm] qui font toute la longueur de la construction! Ça c'est du solide!

— As-tu remarqué les poutres qui portent ce plancher? renchérit son compagnon en projetant le faisceau de sa lampe de poche sur les trois grosses pièces de bois de 12 pouces sur 12 [30 cm sur 30 cm] qui traversent la maison de part en part. C'est à toute épreuve!

Au rez-de-chaussée, les deux hommes examinent la tuyauterie, les fenêtres, les armoires et les murs, et ils prennent note de tout ce qui devra être remplacé. Dehors, ils inspectent la toiture. Ensuite, ils enlèvent quelques planches du revêtement de l'habitation pour mieux voir comment sont construits ses murs : une rangée de planches horizontales, une autre rangée à la verticale, puis un mur de gros madriers posés un sur l'autre. Et, pour isoler le tout, du bran de scie.

— Ce n'est pas fameux! dit l'un des ouvriers. De nos jours, on a des matériaux bien meilleurs pour isoler les maisons.

L'examen terminé, les hommes reviennent faire part à Jeanne-d'Arc de leurs observations. Ils estiment qu'il n'y a pas de problème à moderniser cette maison et croient même que ce serait un bon investissement. La subvention ne suffisant pas à couvrir tous les coûts de la rénovation, Marthe, la fille de Jeanne-d'Arc, obtient le prêt nécessaire d'une institution bancaire. Elle s'engage à rembourser cette dette durant les dix prochaines années, même si elle sait qu'elle n'habitera plus avec la famille dans quelques mois — profondément amoureuse d'un homme d'origine haï-tienne, elle projette de l'épouser en novembre 1977.

Le Noël qui suit ce mariage se passe dans le calme, Jeanne-d'Arc ayant décidé de rester seule à la maison dans la soirée du 24 et de se coucher tôt. À 61 ans, elle a davantage besoin de se reposer que de festoyer toute la nuit. Ce sera cependant différent au jour de l'An alors que tous ses enfants, leurs conjoints et ses huit petits-enfants viendront lui rendre visite.

En cet après-midi très froid du 27 décembre 1977, Jeanne-d'Arc s'affaire aux préparatifs du Nouvel An lors-qu'une mauvaise nouvelle vient bousculer ses projets. Son fils Guy a été victime d'un terrible accident de travail. Une décharge électrique de 25 000 volts lui a traversé le corps alors qu'il s'empressait de faire des réparations avec un groupe d'employés dans un poste de distribution du secteur nord de la ville de Chicoutimi. Transporté à l'unité d'urgence de l'Hôtel-Dieu-Saint-Vallier, il lutte pour sa survie.

Quand j'ai su que Guy avait eu cet accident-là, j'ai eu l'impression de me faire enfoncer un long poignard dans la poitrine. J'ai même pensé à un moment donné que mon cœur ne résisterait pas. C'était comme si on m'avait arraché la moitié de mon être.

Incapable de contrôler ses émotions, Jeanne-d'Arc refuse même de se rendre à son chevet. Jacques, Denise, Marthe, Claude, Marcel, Daniel et Robert se mobilisent et font la navette entre la maison et l'hôpital, lui transmettant les nouvelles au fur et à mesure des développements.

Je connaissais une seule façon d'aider mon garçon : c'était de faire intervenir la grand-mère de Jésus, sainte Anne. J'ai toujours eu une confiance absolue en elle...

Elle la prie inlassablement de prendre son fils sous sa protection et fait brûler en permanence des lampions aux pieds d'une statue la représentant avec Marie dans ses bras, placée bien en évidence sur une petite tablette dans un coin du salon. Pour renforcer son action, elle communique avec les religieuses du Très-Saint-Sacrement et de la communauté du Bon-Pasteur, et demande à ces servantes du Seigneur de prier avec elle.

Le jour de l'An 1978 réunit quand même la famille, mais ce ne sont pas les réjouissances habituelles. L'absence de Guy, de sa femme Madeleine et de leurs trois jeunes enfants se fait cruellement sentir. Tous les espoirs sont cependant permis, car chaque jour qui passe augmente considérablement les chances de survie de Guy. Isolé à la salle des grands brûlés, aux soins intensifs, et à l'abri de toute source d'infection, il endure des souffrances atroces et subit diverses opérations dont certaines sont à ce point compliquées que leur réussite tient presque du miracle.

Après plusieurs semaines, Jeanne-d'Arc n'a toujours pas trouvé la force d'aller à l'hôpital. Un matin, alors qu'elle prépare du sucre à la crème, elle a l'idée de lui en envoyer avec une lettre qu'elle s'applique à lui écrire. Mais incapable d'exprimer ses sentiments, elle terminera son dernier paragraphe par un pointillé.

> Guy,
>
> Je t'envoie quelques morceaux de sucre à la crème, tels que tu les aimes tant. Je pense souvent à toi et je prie sainte Anne afin que tu nous reviennes très vite à la maison et que tu sois bien guéri. À chaque fois que tu mangeras un morceau de sucre à la crème, tu diras ceci : Bonne sainte Anne, guérissez-moi (trois fois).
>
> Madeleine est venue avec les enfants, et ça m'a fait du bien. Je ne peux pas passer te voir parce que cela me fait beaucoup..
>
> Ta mère qui pense à toi toutes les heures et les minutes.
> Bonjour et sucre-toi bien le bec.

Au printemps 1978, Guy est autorisé à rentrer à la maison pour la fin de semaine de Pâques. Inutile de dire que le temps du carême et de la semaine sainte a été cette année-là truffé de prières d'action de grâces !

◌

Si la vie réserve des périodes douloureuses, elle apporte aussi ses épisodes amusants. Dans le courant de l'été qui suit,

Jeanne-d'Arc est occupée à arroser les fleurs de son parterre lorsqu'un jeune voisin, Gilles Bluteau, qui habite au troisième étage de la maison des Gauthier au bout de la rue Gédéon, s'arrête pour lui parler.

— Bonjour, madame Genest! Comment ça va?

— Assez bien, je te remercie. Et toi? Il me semble que ça fait un bon moment que je ne t'ai pas vu?

— En effet, j'étais pris par l'écriture de mon dernier roman que je viens de terminer. Tenez, j'en ai justement apporté un exemplaire en cadeau pour vous...

— En cadeau! Mais en quel honneur?

— Je parle de vous dans le quinzième chapitre. J'ai pensé que ça pourrait vous intéresser...

— En tous cas, tu as piqué ma curiosité. Je rentre tout de suite le lire!

Jeanne-d'Arc tient pendant un moment le livre dans ses mains, caressant sa douce reliure bleue décorée d'un dessin qui représente la fêlure d'un miroir aux alouettes. Elle mémorise le titre qui apparaît en grosses lettres blanches et noires contrastantes: *Meurent les alouettes*. Puis, curieuse, elle l'ouvre directement au chapitre quinze et plonge dans la lecture.

Absent depuis de nombreuses années, André, le personnage principal, est revenu sur la rue Gédéon pour revoir la maison de pierre, où il a vécu pendant quatre ans, et ses sympathiques propriétaires, monsieur Paul, mademoiselle Irène et leur frère Antonio. En passant devant la demeure voisine, il aperçoit madame Genest en train d'arroser ses fleurs et lui adresse la parole. Comme la gentille dame est souvent seule et qu'elle a envie d'échanger avec quelqu'un, elle invite André à venir prendre un café. S'amorce alors entre eux une longue conversation pendant laquelle madame Genest regarde André avec une curiosité qui n'est pas exempte d'amour. Parfois elle se sent maladroite d'avoir posé certaines questions, parfois elle hésite et cherche ses mots pour ne pas le blesser...

C'est fascinant ! Jeanne-d'Arc lit et relit les pages qui la concernent et parle du livre à qui veut l'entendre.

Je me sentais comme une enfant ! Jamais il ne me serait venu à l'esprit que j'aurais pu apparaître dans un roman. Et encore moins jouer un rôle sorti tout droit de l'imagination d'un écrivain. J'ai placé le livre bien en évidence dans ma bibliothèque. C'est un beau souvenir !

À chacun sa destinée

LE CHÔMAGE EST OMNIPRÉSENT au Saguenay dans les années 1980, et un grand nombre de jeunes quittent la région pour trouver un emploi dans les grands centres. Les enfants de Jeanne-d'Arc ne font pas exception. Daniel se marie en 1980 et s'en va à Sept-Îles afin d'y ouvrir un nouveau commerce. En 1982, Marcel choisit d'aller pratiquer la médecine à Vancouver. Robert se marie en 1984 et déménage à Sherbrooke.

Au grand bonheur de Jeanne-d'Arc, Claude travaille à Chicoutimi et accepte d'habiter avec elle dans la demeure familiale. Avec un homme pour s'occuper des travaux extérieurs et de l'entretien de la maison, elle peut envisager d'y finir ses jours. Claude est un garçon ordonné et peu exigeant, ce qui laisse à Jeanne-d'Arc de plus en plus de temps pour ses loisirs, ses pratiques religieuses ou tout simplement ses moments de repos.

Elle reçoit souvent de la visite : huit enfants, leurs conjoints et 14 petits-enfants, ça fait du va-et-vient ! Cependant, elle connaît peu David, le premier fils de Marcel qui demeure à Vancouver, et elle n'a jamais vu son petit dernier,

Sébastien, né en janvier 1986. Au téléphone, Marcel lui parle d'eux, de sa femme Sylvianne, de son environnement, de sa maison, de son travail, des grands jardins et des beaux parcs fleuris de Vancouver. Il l'invite à venir les visiter, mais, à 70 ans, Jeanne-d'Arc n'est encore jamais montée dans un avion et elle doute d'être capable de faire un tel voyage.

À l'été 1986, une occasion se présente : sa fille Denise veut se rendre à l'Exposition universelle de Vancouver et lui demande de l'accompagner. Si le projet effraie Jeanne-d'Arc, son désir de revoir David et de connaître Sébastien est si grand qu'elle accepte de faire le voyage.

> Le jour du départ, je sentais l'angoisse m'envahir. Plus l'heure de l'embarquement approchait, plus j'étais anxieuse. Je ne comprenais pas pourquoi j'étais dans un tel état, moi qui avais toujours prétendu que je n'avais pas peur de la mort. Pour me calmer, j'ai prié. Ça m'a immédiatement redonné confiance.

Après cinq heures de vol, mère et fille atterrissent à l'aéroport de Vancouver où Marcel et sa famille les attendent. Durant deux semaines, Jeanne-d'Arc visite les plus belles attractions touristiques des environs — l'Exposition universelle, le Queen Elizabeth Park, le Butchart Garden, le Capilano Suspension Bridge... — et elle escalade même les Groose Mountains en télésiège !

> Au retour, j'étais épuisée mais vraiment fière d'avoir réalisé quelque chose que j'aurais cru impensable jusque-là. J'étais contente d'avoir vaincu ma peur.

⏀

Si Jeanne-d'Arc a vécu des moments d'anxiété durant son voyage à Vancouver, elle doit aussi faire face à des périodes d'insécurité à la maison. Étant donné que Claude travaille selon un horaire variable, elle se retrouve souvent seule, tantôt le jour, tantôt le soir ou la nuit. Elle tente toutefois de contrôler ses craintes en abordant positivement ces périodes de solitude. Le plus souvent, elle regarde la télévision, prie ou se repose. Les habitants du quartier ne l'oublient pas : ils la visitent régulièrement. Ses enfants les plus proches passent la voir avec assiduité.

Le 23 novembre 1988, Jeanne-d'Arc est seule lorsqu'elle est réveillée en pleine nuit par un tremblement de terre d'une intensité de 4,7 à l'échelle de Richter. Elle a l'impression qu'une main géante broie le roc sous sa maison. C'est la panique ! Heureusement, les vibrations et le bruit ne durent que quelques secondes.

Par la suite Jeanne-d'Arc reste craintive : elle a entendu dire qu'une première secousse en annonce souvent une seconde plus intense. Le 25 novembre, elle s'apprête à passer une autre soirée seule lorsque, vers 19 heures, elle aperçoit les phares d'une automobile dans le stationnement.

Je me suis levée pour aller voir qui arrivait. Au même moment, j'ai senti que le sol se dérobait sous mes pieds. C'était un autre tremblement de terre ! À la seconde même, la porte s'est ouverte et Guy est entré. J'ai crié : « C'est la bonne sainte Anne qui t'envoie ! » Le courant électrique s'est coupé. On s'est retrouvés dans la noirceur totale. Le bruit et les secousses étaient épouvantables ! Les bibelots et les vases tombaient, j'entendais la vaisselle cogner dans les armoires, je pensais que tout allait s'effondrer. Mon fils me tenait fermement sous le bras. On essayait de se diriger vers ma chambre pour prendre une lampe de poche quand, lentement, les secousses se sont calmées. Ça avait duré à peine une minute, mais ça m'avait semblé une éternité !

Par la suite, la radio a annoncé qu'il s'agissait de la plus importante secousse sismique survenue au Québec depuis 1925. D'une intensité de 6,2 à l'échelle de Richter, son épicentre se trouvait à 22 milles (35 km) au sud de Chicoutimi, au même endroit où s'était produite la première secousse, deux jours plus tôt. Le séisme a été ressenti de la région de Sept-Îles jusqu'à New York et Toronto. Dix autres secousses se sont encore produites, d'une intensité variant entre 1,7 et 4,3. Mais Jeanne-d'Arc n'a pas cédé à la panique.

Ces tremblements de terre m'ont fait prendre conscience de ma vulnérabilité et de mon impuissance. J'avais 72 ans, j'étais toujours vivante et en bonne santé, alors que plusieurs personnes de mon entourage n'avaient pas survécu jusqu'à cet âge. Chaque journée de plus qui m'était accordée, je devais la prendre comme un don de Dieu, et tenter de la vivre dans la sérénité.

La vie reprend dans le calme, tandis que la passion de Jeanne-d'Arc pour le jardinage et les fleurs va grandissant. L'hiver, elle consulte les catalogues de fleurs et place ses commandes de graines. Tôt au printemps, à la Saint-Joseph, elle prépare des contenants à l'intérieur de la maison et y sème ses graines. Aussitôt la pleine lune de juin passée, elle transplante ses semis à l'extérieur et sort les urnes déjà méticuleusement agencées. Coiffée d'un grand chapeau de paille et vêtue d'une encombrante jupe à longs pans, jour après jour elle retourne la terre de ses plates-bandes, ajoute de l'engrais et plante ses bulbes.

Elle fait installer son contenant préféré — un âne de béton tirant une charrette — bien en évidence sur le terrain et prend un grand soin à parer la charrette de fleurs. Jimmy, comme elle appelle l'âne avec affection, porte sur son dos une couverture qu'elle a tricotée avec des bouts de laine de diverses couleurs pour l'enjoliver et amuser les enfants. Chaque année, elle fait repeindre ses galeries d'un beau gris perle émaillé et ses 3 grosses chaises de bois, sous le cerisier, dans de riches coloris. Tout l'été, la pelouse est verdoyante, touffue et coupée ras. Les plates-bandes et les contenants sont entretenus minutieusement, les arbustes taillés comme des sculptures.

À l'été 1992, Sylvain, un de ses petit-fils, a l'idée de l'inscrire au concours des villes et villages fleuris organisé par la ville de Chicoutimi. Jeanne-d'Arc y remporte le prix du meilleur aménagement paysager, section contenants, et est invitée à recevoir sa récompense — une photo laminée de son terrain et de sa maison — en présence de son petit-fils, des organisateurs et d'autres invités.

Il a fallu que Sylvain use de tout son pouvoir de persuasion pour me convaincre d'aller chercher mon prix...

Jeanne-d'Arc s'est découvert des talents d'horticultrice.

Ici, elle prépare sa fameuse dinde farcie.

DEUXIÈME PARTIE

Un imprévisible destin

Des objectifs à atteindre

JEANNE-D'ARC est tirée de ses pensées par la sonnerie du téléphone. C'est son fils Daniel, de Sept-Îles, qui appelle, ce matin du 16 décembre 1994, pour prendre des nouvelles avant de se rendre au travail. Denise, qui accompagnait sa mère chez le médecin la veille, a déjà annoncé la nouvelle à ses frères et sa sœur : le cancer de leur mère a progressé, il ne lui reste peut-être pas plus de six mois à vivre !

Daniel est le premier à se manifester. Dans le courant de la journée, ses autres enfants appellent aussi de Sherbrooke, de Montréal, de Vancouver. Ceux qui demeurent plus près viennent la voir.

> J'ai de bons enfants, reconnaît Jeanne-d'Arc. Ils ont pris le temps de m'écouter, ils m'ont encouragée, certains ont même essayé de trouver des façons d'améliorer mon confort et ma sécurité. Je sentais leur émotion et leur souffrance... la même souffrance que tous les enfants aimants ressentent quand ils apprennent qu'ils sont à la veille de voir leur mère disparaître.

Le choc de l'annonce du diagnostic passé, Jeanne-d'Arc se fixe un premier objectif : se préparer spirituellement. Elle choisit de se faire accompagner dans cette démarche par l'abbé Joseph Boies, qui accepte avec chaleur de l'aider. Bienveillant, l'aumônier n'hésite pas à venir la rencontrer chez elle un ou deux après-midi par semaine. Comme deux amis, ils prennent place dans les chaises berçantes du petit vivoir et entament le dialogue. Jeanne-d'Arc peut ainsi parler librement de ses angoisses, de ses douleurs, ou tout simplement relater son passé. Ils finissent généralement la rencontre en priant ensemble. Jeanne-d'Arc reçoit ensuite la communion et la bénédiction du prêtre qui, en partant, n'oublie jamais de lui prodiguer ses encouragements.

Peu de temps après, elle fait part à son médecin de ses deux autres ambitions : dans la mesure du possible, n'avoir recours à aucune médication tout au long de la maladie et, sur son déclin, ne pas être conduite à l'hôpital, son plus cher désir étant de mourir à la maison. La docteure Drouin approuve les décisions de sa patiente et lui promet de respecter son désir. Pendant les semaines qui suivent, elle vient la visiter, simplement pour lui apporter son réconfort, vérifier que tout se passe bien et s'assurer qu'elle veut toujours continuer dans la voie qu'elle a choisie.

Six mois plus tard, le 7 juin 1995, qui est le jour de son 79e anniversaire, elle est toujours parfaitement lucide, sereine et alerte. En paix avec Dieu et avec elle-même, elle se fixe alors un nouvel objectif : ne pas partir avant d'avoir célébré son 80e. Pour y parvenir, il lui faudra lutter encore un an alors que, selon les prédictions, elle devrait déjà être morte. Elle s'y engage.

Jeanne-d'Arc traverse toutes les étapes de sa maladie avec une ferveur joyeuse et persévérante, récite de nombreux chapelets et implore sainte Anne de la soutenir. Elle poursuit son cheminement avec son directeur spirituel et, tel que convenu, s'abstient de prendre toute médication à l'exception de quelques comprimés analgésiques lorsqu'elle est trop souffrante.

La combinaison semble gagnante. Bien que ses forces diminuent de jour en jour, Jeanne-d'Arc conserve un excellent moral. «Je suis prête, mais ça ne presse pas», dit-elle lorsqu'elle parle de sa fin prochaine.

Le jour de son 80ᵉ anniversaire approche, et ses enfants s'affairent à préparer la fête. Denise, toujours prévenante et attentionnée, court les boutiques pour trouver à sa mère une nouvelle tenue d'intérieur sobre et élégante qu'elle pourra étrenner en ce grand jour. Elle se met à la recherche d'un texte pour la circonstance et arrête son choix sur un poème de Gilles Vigneault (tiré du recueil *Silences*) qu'elle dira elle-même à sa mère le jour de la fête. Elle aide sa sœur Marthe à élaborer le menu. Ensemble, elles choisissent les fleurs, les cartes et les cadeaux qu'elles lui offriront au nom de toute la famille.

Claude et Guy fabriquent un écriteau sur lequel ils inscrivent: «Maman fête ses 80 ans», et qu'ils afficheront devant la maison le jour venu, afin d'annoncer l'heureux événement aux voisins et passants. Ils achètent des ballons et... louent des dizaines de flamants roses pour décorer le gazon !

Tout est prêt quand une ombre vient se projeter au tableau : Guy est entré à l'hôpital la veille de la fête. La fièvre et la douleur l'accablent, et les médecins s'interrogent : les examens n'ont pas encore décelé la péritonite dont il est affecté. Les célébrations ont lieu le 7 juin 1996 malgré le malheureux événement. Un peu avant l'arrivée des invités, Jeanne-d'Arc aperçoit la masse de flamants roses en plastique qui ont envahi son terrain. Elle n'apprécie guère, croyant qu'il s'agit d'une décoration permanente, et son dépit amuse beaucoup les participants.

— C'est juste pour aujourd'hui, la rassure son filleul Jean-Marc. Demain, le gazon sera redevenu tout vert !

Durant toute la journée, parents et amis se succèdent pour venir célébrer avec la famille. Le soir venu, Jeanne-d'Arc, qui a traversé toutes sortes d'émotions, est fatiguée mais heureuse. Elle vient de relever un autre défi. Ses 80 ans sont venus coiffer sa belle montée de vie.

Toutefois, Dieu ne lui accordera pas le privilège de réaliser le dernier de ses objectifs : celui de mourir à la maison...

Le déluge

Jeanne-d'Arc n'a pas perdu l'habitude d'encercler, en se levant, la date de la journée en cours sur le calendrier suspendu au mur de sa cuisine. Elle profite de ce moment pour se remémorer quelques souvenirs ou faire le point sur la situation. Ainsi, ce jeudi 18 juillet 1996...

Je suis encore capable de demeurer seule à la maison quand Claude s'absente, mais ça inquiète tout le monde. Marthe, Denise et Guy se sont procuré un double de la clé de la porte d'entrée de la maison au cas où je serais incapable de venir leur ouvrir.

Je suis aussi maigre que les petits enfants sous-alimentés qu'on voit à la télévision, et ma peau est blanche comme si je n'avais plus une goutte de sang dans le visage. Je croyais que les choses allaient s'améliorer avec l'arrivée de l'été, mais on dirait bien que même la météo n'est pas de mon côté. On est rendus au milieu de juillet, et on a l'impression d'être passé du printemps à l'automne tellement il pleut.

En effet, les météorologues ont annoncé que « les précipitations de pluie observées du 1ᵉʳ au 17 juillet étaient déjà plus élevées que la moyenne mensuelle normale pour cette période de l'année[1] ». De plus, des quantités de pluie importantes sont attendues pour les deux prochains jours dans les régions voisines (Charlevoix, Saguenay, Manicouagan, Baie-Comeau et Sept-Îles).

Ces longues périodes sans soleil sont ennuyantes, mais elles donnent à Jeanne-d'Arc l'occasion de prier davantage. Autrefois, entre le 17 et le 26 juillet, elle se déplaçait chaque jour de la neuvaine à sainte Anne pour assister à la messe et entendre le prédicateur. Cette année, en raison de sa mauvaise santé, c'est seule à la maison, devant son propre oratoire, qu'elle prie sa bonne sainte.

Et le vendredi 19 juillet...

Je n'ai pas très bien dormi. Il a commencé à pleuvoir vers une heure du matin, et ça n'a pas cessé depuis. Les météorologues avaient raison : le ciel est totalement couvert de nuages et les averses n'ont pas l'air de vouloir s'arrêter.

Une autre journée sous la grisaille et la pluie affectera sans doute le moral des habitants du Saguenay–Lac-Saint-

---

1. Gilles H. Lemieux, « Les inondations au Saguenay–Lac-Saint-Jean. Perspective géographique de l'ensemble du phénomène », dans *Forum — Les inondations au Saguenay–Lac-Saint-Jean. La reconstruction et la gestion du milieu : pourrait-on faire mieux ?* Actes 1. Recueil des communications, Centre des congrès, 14 mars 1997, p. 10.

Jean. Cependant, personne ne se doute que ces précipitations, qui font monter sans cesse le niveau des lacs et gonflent dangereusement les rivières, sont sur le point de changer le cours de nombreuses existences. En soirée, la plupart des gens sont rivés à leur téléviseur pour voir les cérémonies d'ouverture des Jeux olympiques d'Atlanta. Ils sont bien plus intéressés aux nouvelles internationales qu'à ce qui se passe dans leur région, ignorant qu'eux-mêmes seront bientôt le centre d'intérêt du monde entier.

Le samedi 20 juillet...

> Les averses durent depuis au moins une trentaine d'heures. On dirait qu'on n'en verra jamais la fin. Ce n'est pas ordinaire ! L'eau déborde de mes urnes de fleurs, et le jardin est complètement détrempé. J'espère seulement que le puisard va réussir à absorber toute l'eau de la ruelle...

Lorsque Claude se lève, quelque temps après sa mère, ses premières phrases parlent aussi de la pluie qui tombe en si grande abondance. C'est devenu d'ailleurs le principal sujet de conversation de toutes les familles de la région.

Les rivières ont gonflé à tel point qu'à la radio on annonce que les autorités municipales ont, au milieu de la nuit, mis en branle les mesures d'urgence, en accord avec la sécurité civile, afin de parer à toute éventualité. Tous sont à leur poste, prêts à affronter le pire.

Vers midi trente, Claude reçoit un appel de son frère Guy qui l'informe que la rivière Chicoutimi a commencé à déborder, que la sécurité civile a évacué les résidants aux abords de la rivière, à Laterrière, et qu'on parle même d'évacuer les gens du Bassin. À peine Claude a-t-il le temps de faire part de ces événements à sa mère qu'on frappe à la porte. Deux grands gaillards, un pompier et un policier, vêtus d'imperméables, leur ordonnent de quitter la maison sans délai, craignant que l'eau de la rivière Chicoutimi, qui a déjà atteint une hauteur alarmante, ne passe par-dessus les voûtes du barrage Price.

— Ce n'est qu'une mesure de sécurité, mais il faut faire vite et n'apporter que vos médicaments, quelques effets personnels et des vêtements pour la nuit.

— Il me semblait bien qu'il y avait quelque chose d'anormal, répond Jeanne-d'Arc en émoi. Avec toute cette pluie qui n'en finit plus de tomber, ça ne pouvait que créer des problèmes.

Claude n'ajoute rien. Il n'a pas transmis à sa mère toutes les nouvelles que son frère lui a données au téléphone pour ne pas l'angoisser. Il craignait que cela ne soit trop difficile pour elle. La pluie a commencé à faire des ravages un peu partout dans la région et elle a même causé un terrible drame : ce matin, un garçon de 9 ans et sa sœur de 7 ans ont été ensevelis sous une gigantesque avalanche de boue pendant qu'ils dormaient au sous-sol de leur maison, à La Baie.

— Connaissez-vous un endroit où vous pourriez vous réfugier pour la nuit ?

— On pourrait se rendre chez ma fille Marthe, répond spontanément Jeanne-d'Arc. Elle habite une grande maison sur les hauteurs, près de la polyvalente Dominique-Racine. Je suis certaine qu'on y serait en sécurité et bien accueillis.

Jeanne-d'Arc, qui n'a pas l'habitude de quitter la maison, se voit contrainte d'aller vivre hors de chez elle, alors que son état de santé exigerait la stabilité, le calme et la sécurité que seule sa petite maison, qu'elle habite depuis 58 ans, pourrait lui procurer.

Avant de partir, elle prend tout de même le temps d'aller déposer une rose au pied de la statue de la bonne sainte Anne en la priant de veiller sur sa maison pendant son absence.

Les autorités sont sur le qui-vive. Les policiers, maintenant secondés par la Sûreté du Québec et les militaires de la base de Bagotville, ont fait évacuer les abords des principales rivières de la région et mis à la disposition des sinistrés divers centres d'hébergement dans les arénas, dans les écoles et sous des tentes provisoires. Ils surveillent attentivement les secteurs touchés afin d'assurer la sécurité des citoyens, de limiter les dommages et d'éviter le pillage des résidences.

Les évacués sont inquiets, ne sachant ce qui peut se produire au cours des prochaines heures. Les services d'urgence répondent du mieux qu'ils peuvent à toutes leurs questions et tentent de les rassurer.

Pendant ce temps, Denise, la fille de Jeanne-d'Arc, et son mari Gérard, qui reviennent de Québec, sont incapables de rejoindre leur résidence, un pont ayant été sectionné à l'entrée de La Baie, où ils demeurent. Comme tous les autres sinistrés, ils ont le choix de se rendre à un point de ralliement, chez des parents ou des amis.

Vers la fin de l'après-midi, la rivière Chicoutimi commence à passer par-dessus la crête du barrage Price, empruntant son ancien lit, soit l'emplacement exact où se trouvent les maisons du secteur du Bassin.

Aux nouvelles internationales de fin de soirée, on parle des pluies abondantes que connaît la région du Saguenay–Lac-Saint-Jean. On questionne quelques évacués et on montre des images des inondations qui se produisent un peu partout. Les enfants de Jeanne-d'Arc qui n'habitent plus la région voient sur leur petit écran les maisons du Bassin baignant dans l'eau et aperçoivent, au beau milieu, celle de leur mère. Inquiets, ils téléphonent et sont stupéfaits d'apprendre que tous les membres de leur famille qui habitent encore le Saguenay sont regroupés dans deux résidences : leur mère et Claude sont chez Marthe et John ; Denise et Gérard sont chez Guy et Madeleine, qui demeurent dans le secteur nord de Chicoutimi avec le dernier de leurs fils, Dominique.

La nuit risque d'être fort longue pour les milliers d'évacués.

Le dimanche 21 juillet au matin, Jeanne-d'Arc ne peut encercler la date du jour sur son calendrier. Comme tous ses biens, ce simple petit objet, qui lui permettait de si bien s'orienter, est resté à la maison. Ses effets personnels et son environnement lui manquent déjà. Cependant, elle conserve l'espoir de retourner chez elle durant la journée ou d'ici quelques jours tout au plus. Faisant contre mauvaise fortune bon cœur, elle rejoint Marthe et John au salon. Ceux-ci l'invitent à s'asseoir et lui expliquent tant bien que mal qu'ils sont en train de regarder les images horribles de ce qu'est devenue leur région, présentées en direct sur les deux chaînes de télévision TVA et RDI.

Les reporters décrivent l'évolution de la situation, minute par minute. Ils qualifient de chaotiques les événements qui se déroulent dans plusieurs villes du Saguenay de même que dans quelques localités du Lac-Saint-Jean et de la Côte-Nord.

Les débordements furieux sont devenus incontrôlables. Des digues ont été défoncées, des ponts se sont écroulés, des parties de routes se sont affaissées et des chemins de fer ont été emportés. Plusieurs maisons, des fermes, des voitures, des remises, des arbres ont été ensevelis sous des tonnes d'eau et de boue. Les rivières se fraient un nouveau passage dans un fracas d'enfer.

Les routes principales sont fermées, la région est isolée. Pire encore : on craint que les barrages ne cèdent sous la trop forte pression de l'eau. La population est apeurée à l'idée du raz de marée catastrophique qui en résulterait. Les Saguenéens s'apprêtent à vivre une véritable journée d'enfer, alors que les prévisions météo restent alarmantes.

Du coin de l'œil, Marthe surveille avec appréhension la réaction de sa mère lorsque les caméras montrent le quartier du Bassin. Celui-ci n'a jamais aussi bien porté son nom ; il est totalement envahi par les flots. Chaque seconde, des centaines de mètres cubes d'eau déferlent dans un vacarme assourdissant. Les rues sont devenues de véritables cascades et plusieurs habitations ont carrément disparu. L'ancienne pulperie, devenue un site touristique, est également submergée, et les flots menacent la vieille église Sacré-Cœur. Le quartier n'est plus qu'un immense torrent.

Stupéfaite, Jeanne-d'Arc ne dit pas un mot. La petite dame décharnée, minuscule au milieu du grand fauteuil dans lequel elle a pris place, cherche à comprendre ce qui se passe. John lui offre une tasse de café qu'elle accepte distraitement. À cet instant, les caméras fixent en gros plan la petite maison du 441, rue Gédéon.

Jeanne-d'Arc s'exclame en déposant sa tasse de café sur la petite table à ses côtés, sans avoir eu le temps d'en avaler une seule gorgée. L'eau, qui a fait basculer l'un des murs de fondation, traverse de part en part l'habitation. Elle pénètre par les fenêtres fracassées du sous-sol et par la porte arrachée de devant, emprunte le rez-de-chaussée et ressort en cascade de l'autre côté de la maison. Les deux galeries ont disparu et, avec elles, tous les meubles, outils, vêtements et appareils qui se trouvaient au sous-sol.

Six pieds (environ 2 m) d'eau débordent maintenant de l'infrastructure du barrage Price qui, bien qu'ébranlé, tient toujours le coup. Et la pluie continue de tomber sans répit !

Durant toute la journée, les résidants du secteur du Bassin surveillent leurs demeures en regardant la télévision ou en se rendant sur les plateaux de la ville. Les maisons encore en place tiennent par un fil, et c'est un à un que les espoirs s'envolent...

Grande Petite Maison

AUJOURD'HUI, LE LUNDI 22 JUILLET, la région devrait connaître une certaine accalmie puisque Environnement Canada prévoit un ciel généralement ensoleillé. Ce ne sera certainement pas suffisant pour permettre à toute cette eau d'être évacuée car, on prévoit encore de la pluie pour demain.

Deux bonnes nouvelles cependant. Les barrages ont résisté. L'eau les a contournés et s'est frayé un chemin d'un côté ou de l'autre des installations, empruntant son ancien lit et laissant les réservoirs vides. Et la petite maison de Jeanne-d'Arc est encore debout. Elle est là, toute seule au milieu des flots, résistant toujours à l'assaut du torrent qui l'entoure.

Les journalistes braquent leurs téléobjectifs sur elle, étonnés qu'une si petite construction soit encore debout alors que les autres ont été emportées. On commence à lui prêter des qualificatifs tels que « courageuse », « inébranlable », « tenace ». Quelques personnes, cherchant à détendre un peu l'atmosphère, prennent des gageures sur le nombre d'heures qu'elle pourra encore tenir. Jeanne-d'Arc, elle, n'est pas surprise que sa petite maison soit toujours là. Elle est persuadée qu'elle ne partira jamais. « Ma maison est protégée par en-dedans, dit-elle à ses enfants, je l'ai placée sous la protection de sainte Anne. »

Le mardi 23 juillet, on ne peut que s'étonner de constater que Jeanne-d'Arc avait vu juste. Les pires moments du déluge sont passés et la petite maison, bien qu'amochée, tient toujours le coup. Seule au milieu des flots qui l'entourent toujours, elle est le centre d'intérêt de toutes les conversations, et l'attention que les médias lui portent augmente de jour en jour. Les journalistes veulent savoir à qui elle appartient.

Vers 10 heures, on aperçoit un hélicoptère en vol stationnaire à l'endroit même où se trouvaient autrefois les rues Taché et Gédéon. Ce n'est qu'un hélicoptère parmi tant d'autres, mais cette fois, si la *Petite Maison blanche* le pouvait, elle saluerait ceux qui sont à bord : des membres de la famille Genest qui l'habitaient autrefois.

Gérard Morin, le gendre de Jeanne-d'Arc, est député de Dubuc à l'Assemblée nationale. Il survole la région accompagné de sa femme Denise, de son beau-frère Guy et de son neveu Dominique pour constater l'étendue des dégâts dans son comté. Avant d'arriver dans sa circonscription, il passe au-dessus du quartier du Bassin. Du haut des airs, Guy et Denise photographient la maison de leur mère. Ils ne se doutent pas encore de l'ampleur que prendra la popularité de leur petite maison.

De son côté, Jeanne-d'Arc reste sereine devant les événements tragiques :

Ma maison a 96 ans. Elle a failli partir, mais son heure n'était pas encore venue. Ça doit être la même chose pour moi. À *80* ans, ma mission ne doit pas encore être terminée, sinon Dieu serait sans doute venu me chercher.

John, le mari de Marthe, fête aujourd'hui ses 49 ans, mais on souligne à peine son anniversaire. Cependant, Gérard, Denise, Guy et Dominique s'arrêtent à son domicile après avoir survolé le comté de Dubuc et constaté les inqualifiables dégâts survenus à La Baie, à L'Anse-Saint-Jean, à Petit-Saguenay et à Ferland-Boileau. Ils sont venus lui souhaiter un joyeux anniversaire et le remercier pour les nombreux services qu'il rend à la famille. Depuis qu'il héberge sa belle-mère et Claude, John les soutient dans l'épreuve et les encourage sans sourciller. Les récents événements ont amené chez lui de nombreux visiteurs, et c'est avec patience et courtoisie qu'il accueille tout le monde.

Jeanne-d'Arc profite de ce rassemblement pour annoncer qu'elle attend de la visite. Denis Bolduc, du *Journal de Québec*, a pris rendez-vous avec elle et doit arriver dans moins d'une heure pour l'interviewer. Faible et amaigrie, enveloppée dans une épaisse robe de chambre en ratine blanche, elle reçoit poliment le journaliste, répond de son mieux à ses questions et se prête même à une séance de photographie.

Le mercredi 24 juillet 1996, le *Journal de Québec* présente, en première page, la photo de Jeanne-d'Arc et celle de sa petite maison au milieu du torrent d'eau. En page 3, toute la province peut lire entre autres :

« JE N'AI AUCUNE INQUIÉTUDE »

Pendant trois jours, des millions de téléspectateurs dans le monde ont vu et revu les images de cette petite maison blanche qui, martelée par un torrent d'eau et de boue, a su résister aux assauts répétés de la rivière Chicoutimi.

Tous les immeubles situés à proximité ont cédé, peu importe leur grosseur. Les rues et les terrains ont été emportés par les flots. Mais la demeure, en apparence fragile, est restée là, comme une forteresse.

Dans cette petite maison de bois ancrée solidement dans le roc vivait, jusqu'à samedi, madame Jeanne-d'Arc Lavoie-Genest, 80 ans, profondément amoureuse de ce quartier maintenant ravagé. « Quand ils sont venus me chercher, il fallait faire vite. » [...] Madame Lavoie-Genest a su garder son calme lorsque les autorités lui ont ordonné de sortir, samedi, vers 14 h 00 [...].

Depuis son évacuation, madame Lavoie-Genest a vu et revu les images de sa demeure isolée au milieu d'une rivière déchaînée. « Ça m'a fait un peu mal, mais on dirait que quelque chose me remonte le moral. Je n'ai aucune inquiétude », dit-elle.

Des proches parents demeurant à Sept-Îles, à Sherbrooke et même à Vancouver ont appelé ses enfants au Saguenay, après avoir vu les mêmes images.

Un symbole

Madame Lavoie-Genest affirme avoir toujours su que la maison, jadis habitée par la grand-mère de son mari, résisterait au torrent qui a déferlé sur le centre-ville de Chicoutimi.

« C'est le symbole de la force et du courage de la population du Saguenay », affirme sa fille Denise, assise tout près.

Son fils Guy a répondu à la question que des milliers de personnes se posent depuis dimanche. « Lors de l'inondation survenue il y a 45 ans, le jardin s'était retrouvé des mètres plus bas sur la rue Taché. » « C'était la fête de sainte Anne », tient à préciser sa mère. « Mon père a dynamité le cran et il a fait des fondations en béton armé. Mon père était un bon constructeur », mentionne M. Genest. Tant que l'eau ne dépassera pas les fondations, la maison tiendra, croit-il.

Sa mère, merveilleuse femme aux cheveux blancs, sait qu'elle ne retournera plus jamais dans son jardin de fleurs qu'elle jalousait. « Quand j'étais au milieu de mes fleurs, j'étais heureuse », dit celle qui s'est vue décerner un prix d'aménagement à l'occasion du concours villes et villages fleuris il y a quelques années.

Madame Lavoie-Genest, affaiblie par le temps, ne pourra finir ses jours dans cette maison plus que centenaire, où elle a élevé ses huit enfants, six garçons et deux filles. Terminées les courtes sorties matinales à l'église.

Où ira-t-elle maintenant ? « Je m'en vais vers le Bon Dieu », répond-elle, dans la chaleur du foyer de sa fille, à Chicoutimi.

Denis Bolduc, *Journal de Québec*, 24 juillet 1996.

La nature reprend ses droits

LE DÉLUGE PASSÉ, il reste à panser les plaies. Les autorités ont paré au plus pressé — évacuer les citoyens, assurer la sécurité de la population, limiter les dommages — et en sont maintenant à la remise en activité des services de base : transport, électricité, eau, égouts. Les premiers ministres du Québec et du Canada ont tenu à se rendre personnellement dans la région pour constater l'ampleur des dommages. Les deux instances gouvernementales envisagent maintenant différents programmes de compensation financière.

Les habitants de la région, et particulièrement ceux qui vivaient aux abords de la rivière Chicoutimi, exigent d'en savoir davantage sur les causes de la crue extravagante qui a conduit à la destruction presque complète du quartier du Bassin et causé des dégâts inestimables tout le long du parcours de la rivière. Les scientifiques possèdent des informations concernant les phénomènes météorologiques à l'origine du déluge et sont en mesure d'expliquer les causes du débordement de la rivière Chicoutimi...

Pour bien comprendre ce qui s'est passé, il faut remonter plus haut, beaucoup plus haut, dans la réserve faunique des Laurentides où la rivière Chicoutimi prend sa source. Elle y coule sur une distance de 75 milles (120 km) avant de se jeter dans le lac Kénogami, un énorme réservoir de 27 milles (43 km) de long qui se déverse dans la rivière Saguenay par deux affluents : la Rivière-aux-Sables, qui traverse la ville de Jonquière, et la rivière Chicoutimi, qui coule sur une distance de 15 milles (24 km) dans la partie urbaine des municipalités de Laterrière et Chicoutimi. Cinq aménagements de béton jalonnent ce dernier segment de la rivière Chicoutimi : les barrages Portage-des-Roches, Chute-Garneau, Pont-Arnaud, Elkem et Abitibi-Price.

Sur les berges de la rivière Chicoutimi, en aval du barrage Portage-des-Roches, la construction résidentielle semble téméraire. Cependant, il faut comprendre comment ça s'est passé :

> Historiquement, les populations se sont installées le long des cours d'eau, les seules voies de communications. Les crues automnales et printanières faisaient partie de la vie. [...]
>
> Après le harnachement des rivières et la création des réservoirs Kénogami et Ha! Ha!, les populations sont restées plus ou moins aux mêmes endroits sous la protection des barrages et se sont même enhardies à modifier lentement le statut des chalets ou résidences secondaires en résidences permanentes souvent très cossues avec exigences de tous les services municipaux. Les lois du marché et les promoteurs immobiliers ont fait le reste : les populations ont densément peuplé les plaines d'inondation et même les terrains argileux vulnérables et propices aux glissements de terrain.

En plus de l'harnachement des bassins hydrographiques, pour l'exploitation des ressources hydrauliques et forestières, l'urbanisation a contré les lits d'écoulement naturel des rivières et des ruisseaux par des remplissages, déviations, contournements, détournements et canalisations[1].

On a oublié que la construction d'habitations le long des cours d'eau sur lesquels on a aménagé des barrages comportait certains risques.

Depuis six ans, on traversait une période de très faible hydraulicité. L'été 1995, surtout, avait été épouvantablement aride. Le niveau du lac Kénogami était descendu à près de 6 pieds [2 m] sous la normale. Certains quais, des chaloupes gisaient dans la boue. Les baies étaient ourlées de fanges nauséabondes, les prises d'eau des municipalités étaient presque à sec, les centrales électriques fonctionnaient au ralenti... Au début de l'été 1996, enfin, le ciel redevint généreux. À la mi-juillet, les réservoirs étaient combles.

Cette accalmie faisait le grand bonheur des villégiateurs de plus en plus nombreux et des industries situées en aval.

C'est le jeudi 18 juillet 1996, qu'une gigantesque dépression cyclonique, du type que les météorologistes appellent « *comma* » (« virgule » en anglais) à cause de sa forme, commença à se constituer au-dessus du centre du continent. Se déplaçant dans le sens inverse des aiguilles d'une montre, elle survola le Manitoba, le Midwest, les Appalaches, atteignant l'Atlantique par la Virginie. Quatre mini-ouragans nés de l'évaporation des eaux chaudes du *Gulf Stream*, au nord de Cuba, pompèrent des centaines de millions de tonnes

---

1. *Forum, op. cit.*, p. 18.

d'eau dans des escadres de nuages colossaux. Remontant la côte en spirale vers la Nouvelle-Écosse, ce système dépressionnaire était désormais un véritable pipeline entre les Antilles et l'est du Canada. Or, au lieu de poursuivre son chemin vers l'Ontario et la baie d'Hudson, la tête de cette « virgule » longue de plus de 2500 milles [4000 km] s'arrêta au-dessus du Saguenay–Lac-Saint-Jean.

Ce bassin de 125 milles [200 km] de diamètre, appelé *graben* en géologie est une cuvette créée par l'effondrement d'une structure tectonique. Située entre deux failles, l'une qui suit la rivière Sainte-Marguerite à l'est, l'autre, à l'ouest, la rive du réservoir Kénogami, elle est dominée au sud par les sommets du parc des Laurentides, qui culminent à 3000 pieds [950 m], et au nord par le massif du mont Valin, d'égale hauteur. Quarante-cinq puissants cours d'eau dévalent les montagnes dans cette cuve quasi fermée. Personne n'a été témoin du début de la catastrophe. En effet, c'est à 1 h 00, le matin du 19 juillet, que commencèrent à tomber les premières gouttes d'un de ces déluges qu'on voit normalement dans l'Himalaya. En 50 heures, 155 mm de pluie — les précipitations normales pour la totalité du mois de juillet — allaient tomber sur des sols déjà saturés au cours des deux semaines précédentes. Le relief, poussant les nuages vers les sommets où ils se condensaient dans l'air froid, y concentrait les précipitations[2].

Or, l'apport de chaque pouce (25 mm) de précipitations dans le bassin versant du réservoir Kénogami augmentait le niveau du lac de 39 pouces (1 m). Les précipitations ayant

---

2. Georges-Hébert Germain, en collaboration avec *Canadian Geographic*, « Saguenay, juillet 1996. Autopsie d'une catastrophe », *L'Actualité*, 15 mars 1997, p. 22-24.

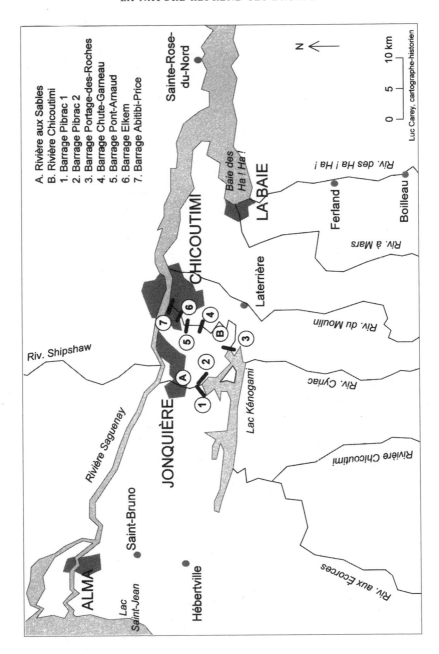

atteint 11 fois ce chiffre, c'est à dire 11 pouces (279 mm), le réservoir du lac Kénogami a donc reçu 429 pouces (11 m) d'eau à évacuer.

Pour écouler le surplus d'eau du réservoir, il fallut ouvrir toutes les vannes de Pibrac 1 et Pibrac 2, sur la rivière aux Sables, et graduellement les 33 déversoirs du barrage Portage-des-Roches, sur la rivière Chicoutimi.

Les gestionnaires des autres ouvrages sur la rivière Chicoutimi n'ont pas eu d'autres choix que d'ouvrir également toutes les portes de leurs évacuateurs. Or, plus on descend en aval, plus les barrages sont petits, donc inadéquats pour laisser passer un tel débit d'eau. Devant l'insuffisance de la capacité d'évacuation de ces constructions et l'accumulation de débris de toutes sortes (toitures de maisons, portes de garages, chalets entiers) qui faisaient obstruction, l'eau a débordé par-dessus la crête des barrages et des digues. On a alors craint que les barrages ne cèdent sous la trop forte pression, mais l'eau s'est plutôt frayé un chemin par des brèches à gauche ou à droite des ouvrages, les rivières ayant gardé la mémoire de leur ancien lit.

C'est ainsi que le dernier barrage de la chaîne sur la rivière Chicoutimi, celui d'Abitibi-Price, a déversé son surplus d'eau dans le quartier du Bassin, au cœur de la ville de Chicoutimi.

Un message de foi

LE 26 JUILLET AU MATIN, c'est un spectacle de désolation qui s'offre aux yeux des Saguenéens. Les mots peuvent à peine décrire le paysage totalement dévasté.

Au Bassin, les eaux se sont retirées. Le quartier, dont plus d'une vingtaine de bâtiments ont été détruits par les inondations, ressemble à une zone bombardée. Au pied de l'église Sacré-Cœur, qui a résisté de son mieux aux flots cruels, pierrailles et décombres témoignent d'un douloureux hier ; là où était autrefois la rue Taché, une fosse remplie d'un amoncellement de débris de toutes sortes ; près d'un ancien commerce aux fenêtres fracassées, une camionnette abandonnée, en équilibre précaire, et une dizaine de maisons patrimoniales qui menacent de crouler sous l'effet des dommages et de la pourriture ; ce qui a été un magnifique centre de loisirs ressemble à un vieil entrepôt délabré, rempli de près de 3 pieds (1 m) de sable et de boue ; à deux pas de là, un poteau téléphonique renversé, portant toujours le panneau indicateur vert de l'avenue Gédéon désormais disparue, et un autre panneau octogonal, en tôle rouge, ordonnant l'arrêt avant qu'on s'engage dans la côte Bossé maintenant transformée en un immense cratère.

Et, au beau milieu du rocher littéralement décapé de sa couverture végétale, la *Petite Maison blanche* du 441, rue Gédéon, qui a regardé passer le drame, solidement ancrée dans le roc.

Nous sommes le jour de la fête de sainte Anne. Jeanne-d'Arc fait remarquer à sa fille Marthe, qui l'aide à faire sa toilette du matin, que 49 ans auparavant, jour pour jour, le quartier subissait un premier déversement d'eau causé également par le débordement du barrage Price. Un probable avertissement, présageant selon elle le drame actuel.

La décision qu'Alyre et elle avaient ensuite prise de doter leur demeure de solides fondations en béton armé devait sauver la vie de l'habitation 49 ans plus tard !

— Peut-être que ta petite maison était destinée à être fêtée pour ses 100 ans en l'an 2000, glisse furtivement Marthe à sa mère.

— Possible, mais je ne serai plus là pour voir ça. Je me sens tellement faible... Je me demande comment ça se fait que je sois toujours de ce monde !

Si Jeanne-d'Arc n'est pas encore décédée au terme d'une si longue maladie, c'est peut-être que Dieu attend d'elle qu'elle livre au monde entier son message de foi. Elle en aura justement l'occasion aujourd'hui. On vient de lui demander de passer à l'émission *Le Québec en direct* animée par le reporter Michel Jean et présentée à RDI, le Réseau de l'information de Radio-Canada. Le reportage sera diffusé à travers tout le Canada et vu par des millions de téléspectateurs.

❧

À midi trente, Michel Jean annonce qu'il a à ses côtés la propriétaire de la célèbre *Petite Maison blanche* de Chicoutimi. Il poursuit :

— Vous savez, madame Genest, que le réseau CNN a payé un tour du monde cathodique de première classe à votre maison, que ça passait en Europe, en Asie... et que des gens partout dans le monde l'ont vue à la télévision ?

— Je ne pensais jamais qu'elle deviendrait aussi célèbre...

— Madame Genest, vous avez habité pendant combien de temps dans cette maison-là ?

— Depuis que je suis mariée. Ça fait 58 ans. Au début, je vivais avec la grand-mère Desmeules. J'ai élevé là mes huit enfants.

— Quand les inondations sont arrivées, comment vous, avez-vous vécu ça ?

— On a été évacués d'urgence. Alors, je suis venue habiter ici. J'ai bien pris ça.

— Est-ce que cela a été difficile de quitter votre maison dans les circonstances qu'on connaît ?

— Je ne pensais pas, vous savez, que ça serait pour aussi longtemps. J'avais seulement pris mes affaires personnelles, le nécessaire. Mais j'étais malade, je ne pouvais rien faire toute seule... Vous savez, la maladie c'est quelque chose qu'il faut bien accepter. C'est le Bon Dieu qui décide ça.

— On a vu souvent votre maison à la télé, parce que c'est une image qui était quand même symbolique, spectaculaire. Quand vous, vous voyiez votre maison en plein milieu des torrents, comment vous sentiez-vous ?

— Je ne me sentais pas très grosse. Ça me faisait quelque chose, mais je me disais : elle va rester là, j'en suis sûre ! Elle va toujours tenir. C'est ça qui me consolait.

— Qu'est-ce qui vous donnait cette certitude-là ?

— Elle avait tout ce qu'il fallait en dedans : sainte Anne, mes bons saints. J'avais tellement confiance en eux, je me disais : elle va tenir ! elle va tenir !

— Et maintenant, est-ce que vous voulez retourner là-bas ?

— Non, je ne retournerai pas. Moi, je n'en ai pas pour longtemps à vivre.

— Mais ceux qui disent qu'on devrait en faire un musée parce que c'est un peu le symbole du courage et de la ténacité des Saguenéens, qu'est-ce que vous pensez de cette idée-là ?

— Oh, pour moi, ça ne me dit pas grand-chose ! D'abord, je ne serai plus là pour voir ça, ce musée-là. Ça ne m'intéresse plus. Si je n'avais pas été malade comme ça, j'aurais eu plus de courage. Ça m'aurait intéressée. Quand bien même on parle de moi dans le monde entier, ce n'est plus important pour moi. En tout cas, j'aurai vu ça avant de mourir.

— Mais quand même, quand on a élevé sa famille, quand on a passé des décennies toujours dans la même maison, il y a beaucoup de souvenirs. Ça devait être difficile de voir la maison au milieu de l'eau, toujours menacée...

— On sait bien, c'était difficile, mais comme les enfants étaient mariés et j'étais toute seule avec un de mes garçons...

— Quelles images vous passaient par la tête lorsque vous voyiez votre maison comme ça au milieu de l'eau ?

— J'aimais mieux ne pas penser à ça. Je le voyais, mais je ne le réalisais pas. On n'est pas maître sur la terre. C'est le Bon Dieu qui est maître, alors on laisse tout faire.

— Avez-vous l'intention de retourner faire un tour ?

— Je ne serais plus capable. J'aime autant ne pas aller voir. D'abord, il n'y a plus de rue, plus de stationnement, tout est parti. Toutes mes fleurs sont parties, toutes mes affaires. Ça ne m'intéresse plus.

— Ça vous fait de la peine ?

— On était bien dans ma petite maison. Des fois, j'allais visiter ailleurs, quand je revenais, je me disais : je suis bien dans ma petite maison. Mais je n'ai plus de mari, seulement mon garçon qui vit avec moi. Je vais m'en retourner vers la maison du Bon Dieu.

— Merci, madame Genest, vous êtes *tough*[1].

Après l'entrevue, Michel Jean se rend sur le site de la *Petite Maison blanche* pour y continuer son reportage en direct. Il s'adresse ainsi aux téléspectateurs :

« Alors voilà. Vous venez d'entendre madame Lavoie-Genest qui est extrêmement émue, on peut le comprendre. Elle a fait allusion à ses fleurs, et c'est presque un miracle : si on regarde de près [les caméras montrent alors en gros plan une boîte longue et étroite en résine blanche, fixée au cadre extérieur d'une fenêtre du sous-sol et dont les fleurs sont demeurées intactes], malgré tout ce qui s'est passé,

---

1. Courageuse.

malgré le torrent, il y a encore des fleurs. Je sais que madame Lavoie-Genest nous écoute présentement. On va récupérer vos fleurs et, après l'émission, on va aller vous les porter. Ce n'est pas grand-chose, mais on fera ça pour vous, madame Genest, après l'émission[2]. »

---

2. Michel Jean, *Le Québec en direct*, 26 juillet 1996. Transcription du reportage reproduite avec l'aimable autorisation du réseau de l'information (RDI).

Solidarité

AUJOURD'HUI, LE SAMEDI 27 JUILLET 1996, un bilan provisoire du désastre fait état de pertes matérielles considérables pouvant atteindre le milliard de dollars. Dans les 39 municipalités touchées, 500 résidences principales ont été détruites, 1200 ont été endommagées, et plus de 800 résidences secondaires ont été détruites ou endommagées. Au moins 15 000 personnes ont été évacuées, et des dommages considérables ont été causés aux infrastructures routières et industrielles. Tout cela sans parler des communautés qui ont été fortement ébranlées et qui ont subi des préjudices psychosociaux importants.

La Croix-Rouge lance un appel à la solidarité de tous les Canadiens pour aider les milliers de victimes des inondations qui ont frappé le nord-est du Québec. Chaque contribution reçue sera entièrement consacrée à nourrir, loger et vêtir les sinistrés. « Il n'y a pas de petit don, dit-on dans la sollicitation. Il n'y a que les dons de la solidarité. »

Certains sinistrés, ceux dont les maisons n'ont pas été emportées par les flots ou n'ont pas été totalement détruites, se sont déjà courageusement remis au travail. Ils ramassent les débris sur leur terrain, vident leur cave et débarrassent leurs planchers envahis par la boue, nettoient, reconstruisent. Ils veulent revenir chez eux le plus rapidement possible.

Au Bassin, quelques maisons sont toujours là, mais elles ne seront plus habitables : celles des Gauthier et des Gravel sur la rue Taché, l'ancien moulin à farine, la maison du premier plombier Gaudreault, les anciennes demeures du docteur Duperré, des Gilbert et des Corneau sur la rue Price, et enfin les maisons des Tremblay, Villeneuve et Beaumont de la rue Bossé. Les autorités municipales ne permettront pas la reconstruction du quartier, désormais considéré comme zone à risque d'inondations par le ministère de l'Environnement. Des rumeurs circulent déjà à l'effet que le site pourrait être aménagé en un parc thématique commémorant le déluge, dont la pièce maîtresse serait la *Petite Maison blanche*.

Le curé de la paroisse Sacré-Cœur du Bassin, l'abbé Roland Tremblay, est atterré. Lorsqu'il regarde les maisons, les immeubles et les commerces qui se sont volatilisés tout autour, sa gorge se noue, ses yeux se remplissent de larmes. Bien que son église ait été sauvée, son moral est fortement affecté, il est ravagé par l'inquiétude et l'émotion. Il décède le 4 août 1996, moins de deux semaines après le drame de sa paroisse.

Claude s'est fait un devoir d'assister aux funérailles. En tant que marguillier, il a longtemps côtoyé les ecclésiastiques au conseil de fabrique de la paroisse. Assis dans l'un des premiers bancs, il ne peut s'empêcher de penser qu'il devra bientôt se séparer également de sa mère avec qui il a cohabité pendant tant d'années.

Toujours logé chez sa sœur Marthe, Claude doit attendre patiemment la suite des événements avant de prendre quelque décision que ce soit. Il a cependant été autorisé à franchir la barrière de sécurité et à pénétrer dans son ancien chez-soi pour y prendre les quelques vêtements et effets personnels qui, rangés à l'étage, ont été préservés du déluge. N'eût été la présence des gardiens de sécurité, il aurait pris le temps de s'asseoir et de contempler tranquillement ce qui fut son petit havre de paix. De toute façon, les chaises, comme tout le reste du mobilier, sont enlisées dans près de 6 pouces (15 cm) de boue durcie qui recouvre tout le plancher du rez-de-chaussée. Tout n'est que poussière, saleté, humidité. « Une chance que maman ne voit pas sa maison dans cet état-là », se dit Claude en regardant les dégâts.

Sur le site de la *Petite Maison blanche*, les gardiens de sécurité estiment qu'entre 600 et 700[1] personnes se présentent aux barrières chaque heure. Les médias, particulièrement la télévision, ont permis à tout le Québec de suivre d'heure en heure le déroulement des crues de juillet et, à présent, les gens veulent constater eux-mêmes l'ampleur de la catastrophe. Ils arrivent de partout pour voir les lieux du drame. La Société de développement de Jonquière (la ville voisine de Chicoutimi, qui a été, elle aussi, fortement touchée par le déluge) offre même un « forfait solidarité » comprenant des visites guidées pour les touristes intéressés à voir et à comprendre ce qui s'est passé au Saguenay lors du déluge.

---

1. François Hamel, « La renaissance d'une zone sinistrée », *Dernière heure*, 31 août 1996, p. 22.

Toutefois, les gens ne sont pas que curieux et avides de renseignements ; ils sont aussi très généreux. Un immense mouvement de solidarité est né du fait qu'ils ont participé — à distance — aux événements dramatiques causés par les précipitations extraordinaires que la région a connues. De nombreux dons en argent et en biens de toutes sortes ont déjà été envoyés à la Croix-Rouge et à la Société Saint-Vincent-de-Paul. Mgr Jean-Guy Couture a été mandaté pour présider le comité de gestion du fonds de solidarité de la Croix-Rouge, qui a déjà récolté 7 millions de dollars.

Les Genest eux-mêmes ont à plusieurs occasions pu constater à quel point les gens sont sensibles à ce que vivent les habitants de la région. Leur mère a reçu des messages émouvants d'encouragement et de compassion de la part de personnes qui ne l'ont connue que par le truchement de la télévision. Un couple, par exemple, lui a écrit cette lettre :

Chère Madame Jeanne-d'Arc Genest,

Nous avons eu beaucoup de peine pour vous. Nous espérons que vous avez pu récupérer vos souvenirs d'autrefois. Nous vous avons vue à la télévision. Vous ne méritiez sûrement pas cette catastrophe. Surtout dans votre condition physique et morale due à votre maladie. Soyez courageuse, Dieu nous donne toujours la force de passer à travers, il ne faut pas se laisser abattre, il y a encore de beaux jours pour vous avec votre famille. Tout le monde vous aime.
Portez-vous bien.

Robert et Marie-Paule[2]

---

2. Lettre reproduite avec l'aimable autorisation de ses auteurs.

Ils avaient joint à la lettre un billet de 20 $ avec cette note : Pour une petite douceur.

Un autre exemple de compassion est la lettre suivante, provenant cette fois de l'extérieur du Québec :

> Bonne chère amie,
>
> Je suis une grand-maman de votre âge, et j'étais très heureuse de voir celle de la maison bâtie sur le roc dans la foi de Dieu ! Un beau cadeau de la Bonne Sainte Anne. Vous avez été un beau témoin de la foi en Dieu, lui seul nous apportera la joie de vivre et le courage. Le monde ne peut le faire. Je vous mets dans mes prières. Je vous embrasse, demeurez courageuse.
>
> Amicalement
>
> Irène
>
> Note : Je veux dire à tous les sinistrés du Lac-Saint-Jean comme nous les aimons et notre cœur est avec vous tous[3].

Jeanne-d'Arc reçoit tout son courrier chez sa fille Marthe, où elle demeure toujours, même si celui-ci n'est que sommairement adressé...

---

3. Lettre reproduite avec l'aimable autorisation de la famille de l'auteure.

Madame Lavoie Benoist.
   Chicoutimi.
a/s de la petite "maison blanche"
demeurée intacte.

Faire parvenir. Personnel. Merci.

Une fin paisible

DANS UN ULTIME EFFORT, Jeanne-d'Arc accepte un dernier entretien avec un reporter. Cette fois, il s'agit de François Hamel, un journaliste de l'hebdomadaire *Dernière Heure* portant sur l'actualité. Il a l'intention de publier intégralement le texte de la conversation qu'ils auront au téléphone, dans le numéro du 31 août. Cette même interview fera l'objet du troisième chapitre du livre qu'il est sur le point de terminer, *Saguenay Été 1996*, et qui devrait paraître en septembre. Après l'entrevue, il est convenu que Denise et Guy rencontreront désormais les journalistes à la place de leur mère, celle-ci déclinant à vue d'œil.

Le lundi 19 août, Jeanne-d'Arc demande qu'on lui apporte ses albums de photos qui ont été épargnés par le déluge. Comme pour garder en mémoire ses souvenirs terrestres avant de partir pour l'au-delà, elle regarde les photos une à une avant de les distribuer. Pour la première fois, ce soir-là, elle aura besoin d'aide pour monter à sa chambre.

Le lendemain, la famille discute de réorganisation. Marthe, qui était en congé depuis la fin des classes, doit reprendre le travail dans une semaine. Il faut trouver une personne compétente qui viendra soigner et accompagner la malade durant la journée.

— Inutile ! interrompt Jeanne-d'Arc. J'ai décidé de m'en aller à l'hôpital...

Quel revirement ! Elle qui avait tant insisté pour ne pas finir ses jours à l'hôpital ! Bien sûr, elle avait toujours voulu mourir chez elle, mais sa petite maison, bien qu'encore debout, a changé de vocation.

Toutefois, la nuit du 21 août 1996 sera sa dernière. À 4 heures du matin, après avoir réclamé à boire, elle entonne quelques alléluias. Ensuite, le visage radieux, elle dit à sa fille : « Je m'en vais voir Jésus », puis elle s'enfonce dans un profond coma. L'abbé Boies s'empresse de lui donner les derniers sacrements avant son transport à l'hôpital. Elle rend l'âme quelques heures plus tard, entourée de Denise, Marthe, Claude et Guy.

Les enfants et petits-enfants de Jeanne-d'Arc qui demeurent au loin sont peinés d'apprendre le décès de leur maman et grand-maman, mais ils sont surtout déçus de n'avoir pu vivre auprès d'elle les derniers moments de sa vie. Elle qui était toujours si heureuse de leur parler au téléphone, et plus encore de les recevoir, ne sollicitait cependant jamais leur présence. Elle semblait s'incliner devant la dure réalité de l'éloignement de plusieurs de ses enfants et comprenait qu'ils ne pouvaient pas tous demeurer auprès d'elle. On se souvient de ses paroles pour exprimer sa résignation aux journalistes : « On n'est pas maître sur terre. C'est le Bon Dieu qui est maître. » Lorsqu'elle savait qu'un membre de sa famille éprouvait des difficultés, c'était par la prière et par son intercession auprès de tous les saints qu'elle apportait son aide.

À la fois tristes et confiants, convaincus que désormais leur mère est parfaitement heureuse dans sa nouvelle vie, ses enfants préparent les funérailles.

Le jeudi 22 août 1996, l'avis de décès paraît dans le journal *Le Quotidien* de Chicoutimi :

Est décédée à Chicoutimi, le 21 août 1996, à l'âge de 80 ans, dame Jeanne-d'Arc Lavoie, demeurant au 441, avenue Gédéon à Chicoutimi. Son départ laisse dans le deuil et la tristesse ses enfants : Jacques (Ginette Fortin), Denise (Gérard-Raymond Morin, député de Dubuc), Marthe (John Naar), Guy (Madeleine Girard), Claude, Dr Marcel (Sylvianne Bouchard), Daniel, Robert ; ses petits-enfants adorés : Sonia, Chantale et Maître Michelle Morin, Louise et André Genest, Sylvain, Pierre et Dominique Genest, David et Sébastien Genest, Frédéric et Gabriel Genest, Jonathan, Jessica et François Genest ; ses deux arrière-petits-enfants : Laurence et Frédéric Genest, ainsi que de nombreux parents et amis. Lui survivent ses frères : Robert, Victor (Laurette Brassard), Léonidas (Georgette Boucher) et sa sœur Myrto (Philippe Villeneuve) ; son beau-frère : René Potvin et ses belles-sœurs : Marie-Joseph Genest et Lydia Tremblay. Animée d'une foi ardente, c'est avec courage et sérénité qu'elle a rejoint son époux Alyre Genest ; ses parents : Wilbrod Lavoie et Philomène Villeneuve ; ses frères : Charles-Eugène, Évangéliste, Ulysse et Paul-Ernest Lavoie ; ses sœurs : Marie-Blanche, Cécile, Gilberte, Georgette et Jacqueline Lavoie. La famille recevra les témoignages de sympathie à la Résidence funéraire Gravel et Fils [...].

La même journée, le journal *Le Quotidien* lui consacre l'article suivant :

PETITE MAISON BLANCHE
MADAME LAVOIE-GENEST MEURT À 80 ANS

La propriétaire de la petite maison blanche du Bassin, Jeanne-d'Arc Lavoie-Genest, devenue du jour au lendemain la maison la plus populaire du pays en résistant aux inondations, est décédée hier à l'âge de 80 ans.

Mère d'une grande famille, madame Lavoie-Genest était également la belle-mère de Gérard-Raymond Morin, député de Dubuc à l'Assemblée nationale.

Sa maison située sur l'avenue Gédéon dans le quartier du Bassin avait rapidement attiré l'objectif des photographes. Les gens se rappellent évidemment de l'eau qui sortait par les portes alors que la rivière Chicoutimi débordait du barrage Price.

Malgré l'âge et la maladie, Jeanne-d'Arc Lavoie-Genest avait accepté d'accorder des entrevues où elle avait expliqué que sa foi en la bonne Sainte-Anne et les nombreuses images pieuses accrochées après les murs de sa maison avaient fait en sorte de protéger la petite maison blanche.

Jeanne-d'Arc Lavoie-Genest avait également donné une grande leçon alors qu'elle confirmait être sur le point de mourir. Elle acceptait sa maladie et surtout la mort qui pointait très sereinement.

La petite maison, on le sait, pourrait devenir le point central d'un nouveau parc thématique à Chicoutimi.

Madame Jeanne-d'Arc Lavoie-Genest et sa petite maison blanche symboliseront toujours la foi et la hardiesse des sinistrés du Bassin.

LT, « Mme Lavoie-Genest meurt à 80 ans », *Le Quotidien*, jeudi 22 août 1996.

Des adieux émouvants

L E VENDREDI 23 AOÛT 1996, toute la parenté de Jeanne-d'Arc et tous les amis de la famille viennent au salon funéraire rendre hommage à celle qu'ils ont connue et aimée.

JEANNE-D'ARC N'EST PLUS

Tous se rappellent avoir vu à la télévision cette petite maison blanche qui résistait aux flots lors de ce déluge de fin de juillet. L'eau sortait alors par les portes et les fenêtres de la maison... et les fondations ont tenu le coup, se voulant ainsi une démonstration de la ténacité des citoyens du Saguenay devant l'épreuve.

Or, la propriétaire de cette petite maison blanche est morte. Il s'agit de Mme Jeanne-d'Arc Lavoie-Genest, de Chicoutimi, qui est décédée à l'âge de 80 ans, à la suite d'une longue maladie. Elle était la belle-mère du député à l'Assemblée nationale dans Dubuc, M. Gérard-Raymond Morin.

Madame Genest avait confié que sa foi dans la bonne Sainte-Anne et les nombreuses images pieuses accrochées aux murs de sa maison avaient ainsi fait en sorte de la protéger. La municipalité de Chicoutimi entend conserver cette petite maison.

J.-C. St-P., « Jeanne-d'Arc n'est plus », *Le Journal de Québec*, vendredi 23 août 1996.

Tel est l'article que le *Journal de Québec* consacre au décès de Jeanne-d'Arc en ce 23 août. Le même jour, Pierre Bourdon lui rend, dans la rubrique «Au fil du temps» du *Quotidien*, un hommage particulièrement touchant :

LA DAME DE LA PETITE MAISON

Une autre personne qui a su nous émouvoir et nous impressionner par ses propos fut Mme Jeanne-d'Arc Lavoie-Genest, la sympathique propriétaire de la fameuse petite maison blanche du Bassin de Chicoutimi, malheureusement décédée le 21 août dernier, un mois après les terribles inondations du Saguenay.

Cette dame, fort humble, mais très croyante, avait su nous bouleverser vivement lorsqu'elle accorda une entrevue à la télévision, un peu avant sa mort.

Avec une belle douceur et une grande simplicité dans la voix, Mme Lavoie-Genest confiait que c'était grâce à la bonne Sainte-Anne et à toutes les images des saints si sa petite maison blanche avait pu résister et demeurer vaillamment sur place.

Gravement malade, Mme Lavoie-Genest nous a surtout émus en acceptant sans révolte, tant sa maladie que l'inondation, deux terribles épreuves.

En quelques phrases, lancées à la télévision, cette dame, que nous ne connaissions aucunement, a su nous transmettre tout un message d'espoir et d'amour.

> Aujourd'hui au paradis, avec sa bonne Sainte-Anne et tous ses saints, puisse Mme Lavoie-Genest savoir tout le bien qu'elle a pu faire et tout le courage qu'elle a su transmettre.
>
> Espérons que dans le futur parc thématique du Bassin une belle place soit réservée au souvenir de la petite madame de la petite maison blanche.
>
> Extrait de Pierre Bourdon, « Michel Barrette et Mme Lavoie-Genest », *Le Quotidien*, 23 août 1996.

Aujourd'hui le 24 août 1996, se tourne la dernière page de l'histoire de Jeanne-d'Arc. Ses funérailles seront chantées à 11 heures, à l'église Saint-Joachim, la paroisse voisine du Bassin. La cérémonie religieuse ne peut avoir lieu à l'église Sacré-Cœur, le secteur étant toujours inaccessible.

C'est dans la simplicité et dans le calme, malgré la présence des caméras de télévision, que la messe, présidée par l'abbé Joseph Boies, se déroule. Dans le premier banc, les deux filles et six fils de Jeanne-d'Arc se recueillent. La cérémonie atteint son apogée alors que l'abbé Boies lit, tout à fait à propos, la parabole des deux maisons :

> Ainsi tout homme qui entend les paroles que je viens de dire et les met en pratique, peut être comparé à un homme avisé qui a bâti sa maison sur le roc. La pluie est tombée, les torrents sont venus, les vents ont soufflé ; ils se sont précipités contre cette maison et elle ne s'est pas écroulée, car ses fondations étaient sur le roc. Et tout homme qui entend les paroles que je viens de dire et ne les met pas en pratique peut être comparé à un homme insensé qui a

bâti sa maison sur le sable. La pluie est tombée, les torrents sont venus, les vents ont soufflé ; ils sont venus battre cette maison, elle s'est écroulée et grande fut sa ruine.

Matthieu 7,24-27, Traduction œcuménique de la Bible.

Le soir même des funérailles, on peut voir et entendre Guy, le fils de Jeanne-d'Arc, à l'émission télévisée *Les sinistrés racontent* réalisée par RDI et animée par Michel Jean, en direct de la Pulperie de Chicoutimi.

Après avoir transmis ses condoléances, l'animateur tente de savoir si la famille était aussi convaincue que sa mère de la solidité de leur maison. Guy répond sans hésitation : pour lui aussi, la maison allait tenir le coup puisqu'elle était assise sur des bases solides. « Quand mon père a fait le solage, il y a 43 ans, il avait pris la précaution de bien l'ancrer au roc. »

L'animateur veut aussi savoir comment sa mère réagissait devant tous ces événements. « Ce fut surtout difficile pour elle d'être déplacée, répond calmement le fils. Une fois installée chez sa fille, elle a tourné la page. Elle s'est ensuite préparée à s'en aller vers la maison de Dieu. »

Lorsque Michel Jean demande à Guy quels étaient les sentiments des membres de la famille lorsqu'ils voyaient leur petite maison dans le torrent, il s'exprime ainsi : « Ça nous faisait un serrement au cœur, mais d'un autre côté, nous étions contents qu'elle tienne. Nous étions fiers d'elle et de notre mère qui tenait bon elle aussi. »

Concernant l'éventualité que la maison devienne un musée, Michel Jean veut savoir ce qu'en pensait la mère et

Le 24 juillet 1999, exactement trois ans après le déluge,
la Petite Maison blanche est de nouveau entourée d'eau mais,
cette fois, au grand plaisir de la population. (Photo : Guy Genest)

La Petite Maison blanche avant, pendant et après le déluge

(Photo : Guy Genest)

(Photo : Jeannot Lévesque)

(Photo : Guy Genest)

Le quartier du Bassin avant, pendant et après le déluge

(Photo : Guy Genest)

(Photo : Guy Genest)

(Photo : Guy Genest)

Au beau milieu du rocher littéralement décapé de sa couverture végétale, la petite maison du 441, Gédéon. En face, on aperçoit le fameux mur de soutènement qui retenait le terrain. (Photo : Guy Genest)

Tout ce qui a été détruit par les eaux déchaînées ressort en petits morceaux dans le Bassin. (Photo : Guy Genest)

Pierrailles et décombres témoignent d'un douloureux hier. (Photo: Marc Lalancette)

Le quartier ressemble à une zone bombardée. (Photo: Marc Lalancette)

Bien qu'amochée, la petite maison a tenu le coup. (Photo : Guy Genest)

En gros plan, des dommages causés par l'eau à la petite maison. (Photo: Guy Genest)

Au sous-sol, le courant a tout arraché sur son passage. (Photo: Guy Genest)

La Petite Maison blanche, conservée au milieu d'un parc, comme le symbole du courage et de la détermination des Saguenéens. (Photo: Guy Genest)

Le parc thématique du Bassin de Chicoutimi, vu dans son ensemble. À gauche, on aperçoit le presbytère et l'église. (Photo: Jacques Desbiens)

qu'en pense la famille. «Maman, ça ne l'intéressait plus, confie son fils. Moi, ça me plaît.»

En fin de soirée, Guy rejoint ses frères et sœurs qui ont regardé l'émission chez lui. Ils passent le reste de la soirée à discuter et à se remémorer le passé.

L'élan se poursuit

« L'ÉLAN DE GÉNÉROSITÉ déclenché par la catastrophe naturelle du 20 juillet dernier au Saguenay [atteint] son point culminant au Centre Molson de Montréal [...], lors de la présentation d'un vaste spectacle-marathon doublé d'un téléthon[1] », rapporte le journal régional *Le Quotidien*.

Le soir du 25 août 1996, l'humoriste saguenéen Michel Barrette anime le spectacle *De concert avec le Saguenay* qui est diffusé en direct par les réseaux de télévision Radio-Canada, TQS, TVA, TV5, Télé-Québec et Musique Plus, et par de nombreux radiodiffuseurs à travers tout le Québec et le Canada.

Le Centre Molson est grouillant d'activité. Douze mille personnes s'y sont entassées. Sur la scène géante, dont le décor représente la *Petite Maison blanche* au milieu des torrents furieux, a lieu le plus grand rassemblement d'artistes pour une même cause au Québec. Avec leur pouvoir de persuasion, leur talent et leur dynamisme, ils réussissent à

---

1. *Le Quotidien*, lundi 26 août 1996.

amasser 4,3 millions de dollars pour les sinistrés du Saguenay.

Le lendemain, c'est la *Petite Maison blanche* qui dit « merci ! » aux généreux donateurs, en première page du journal régional *Le Quotidien* et par l'entremise d'un dessin du talentueux caricaturiste Lacroix.

Les gens de la région souhaitent conserver la désormais célèbre *Petite Maison blanche* pour en faire le symbole de leur ténacité et de leur courage. Un projet préliminaire visant l'aménagement d'un parc commémorant les terribles inondations du Saguenay, et dont la petite maison serait le centre d'attraction, vient d'être déposé au conseil municipal de la ville de Chicoutimi.

Les enfants de Jeanne-d'Arc se disent prêts à céder la *Petite Maison blanche*, presque centenaire, afin qu'elle serve de mémorial de la catastrophe. La ville devra cependant négocier une entente avec Claude, qui est devenu l'unique propriétaire de la maison, sa mère la lui ayant léguée par testament quelque temps avant son décès.

Pendant ce temps, la maisonnette continue de susciter de l'intérêt et de faire couler beaucoup d'encre. Le journaliste François Hamel publie intégralement, dans la revue *Dernière Heure* du 31 août et dans son livre *Saguenay Été 1996*, la conversation qu'il a eue avec Jeanne-d'Arc quelque temps avant sa mort. Les grands journaux canadiens, tant anglophones que francophones, s'intéressent au phénomène de la *Petite Maison blanche* et publient des articles et de nombreuses entrevues avec les membres de la famille Genest.

Les touristes, quant à eux, continuent d'affluer au site du Bassin. La plupart des visiteurs ont leur appareil photo et, tout comme cela se fait devant la statue de la Liberté ou la tour Eiffel, ils veulent se faire photographier devant ce symbole de résistance. Les artisans ont rapidement perçu l'engouement des touristes et leur désir de rapporter des souvenirs de leur visite sur les lieux du sinistre. Se manifeste alors le fort potentiel artistique régional. Quelques mois seulement après le déluge, on retrouve la *Petite Maison blanche* sur des tasses, assiettes, jeux de cartes, porte-clés, épinglettes, médailles, cartes de souhaits, et même des t-shirts. On la reproduit en bois, céramique, carton renforcé, porcelaine, aluminium ou verre, souvent montée sur des morceaux de roche, quelquefois accompagnée du traditionnel bleuet.

Les peintres s'en donnent à cœur joie. Ils immortalisent la demeure dans différents décors et créent de somptueux tableaux de tous formats, souvent lithographiés pour différents usages. La *Petite Maison blanche* est mise également en valeur dans des chansons, textes, poèmes ou vidéoclips. On la caricature ; les élèves des écoles la dessinent ; des commerçants l'utilisent dans leur publicité pour faire valoir la robustesse de leurs produits. On suggère même de l'imprimer sur la monnaie canadienne ! À l'approche des Fêtes, la maisonnette fait office de crèche pour l'enfant Jésus dans une vitrine de magasin, et un journal dominical propose un patron de *Petite Maison blanche* à assembler soi-même et à inclure dans le village miniature de l'arbre de Noël. Le 31 décembre, l'équipe de l'émission la plus écoutée de l'année, le *Bye Bye 96*, s'installe à l'intérieur de la *Petite*

Maison, symbole de la ténacité des habitants de la région, pour faire le compte à rebours des instants qui précèdent le passage à l'année 1997. On sculpte la maison dans des blocs de glace lors du Carnaval Souvenir de Chicoutimi, un festival très couru qui a lieu chaque année en février pendant deux semaines.

La réputation de la *Petite Maison blanche* n'est plus à faire. Éclipsant au pays la popularité de sa sœur américaine, « La Petite Maison dans la prairie », elle constitue désormais un centre d'attraction touristique majeur et un élément précieux du patrimoine.

La *Petite Maison blanche,* qui s'est révélée un modèle de droiture et de courage, se retrouve à présent au cœur d'une bien drôle de tourmente. Propriété de Claude, qui se montre intéressé à l'exploiter lui-même, elle fait l'objet de la convoitise de la municipalité de Chicoutimi, qui veut se l'approprier pour le montant de l'évaluation municipale. Claude, qui n'entend pas la céder à un prix aussi dérisoire, propose à la municipalité une exploitation conjointe de la petite maison, mais les élus municipaux refusent. S'amorcent alors des négociations ardues. Il est bien difficile d'établir le prix d'un symbole.

Le 23 octobre 1997, la ville de Chicoutimi peut enfin se porter acquéreur de la maison grâce à la participation du *Progrès du Saguenay,* une division du groupe UniMédia inc. qui publie les journaux régionaux *Le Quotidien* et *Progrès Dimanche.* L'entente prévoit qu'il y aura association entre la ville de Chicoutimi, qui s'engage à administrer le site de la *Petite Maison blanche*, et *Le Progrès du Saguenay*, qui se porte acquéreur des droits d'utilisation de l'image de la maison.

La transaction entre Claude et la ville de Chicoutimi, d'une part, et *Le Progrès du Saguenay*, de l'autre, prévoit que la ville de Chicoutimi versera à l'héritier un montant correspondant à l'évaluation municipale et que *Le Progrès du Saguenay* lui remettra un montant compensatoire pour l'acquisition de ses droits d'utilisation de l'image de la maison.

Durant toute la durée des négociations, les parties impliquées ont eu constamment à l'esprit la conservation de ce qui est devenu un symbole du dynamisme et de la solidarité de la population du Saguenay–Lac-Saint-Jean, pour le bénéfice des générations futures.

Pour la ville du maire Ulric Blackburn, un premier objectif est atteint : celui de conserver et de protéger cette habitation humble mais chargée d'émotions et de souvenirs, autant dans l'intérêt de la famille Genest que celui de la population régionale.

Le président et chef de la direction d'UniMédia, M. Pierre DesMarais, qui assiste à la conférence de presse au cours de laquelle on annonce qu'une entente a été conclue, se dit heureux que *Le Progrès du Saguenay* soit à l'origine de cette initiative « qui démontre le profond intérêt de cette entreprise pour le patrimoine régional et la conservation d'une maison devenue un symbole d'endurance pour tous les Québécois et Canadiens[2] ».

---

2. *Le Progrès du Saguenay*, communiqué de presse du 23 octobre 1997.

Selon M. Claude Gagnon, président et éditeur, « cette acquisition s'inscrit dans la mission d'entreprise du *Progrès du Saguenay*, laquelle consiste non seulement à informer adéquatement la population régionale sur les enjeux socio-économiques contemporains qui la confrontent, mais aussi à faire en sorte de contribuer dans la mesure de ses moyens, à la sauvegarde du patrimoine historique et culturel du milieu[3] ».

M. Gagnon estime que, pour la famille Genest, cette entente assurera la préservation de la résidence familiale et sa survie à travers l'histoire. Il croit que « la population interprétera ce geste comme un engagement du *Progrès du Saguenay* dans la conservation du patrimoine régional ainsi qu'une contribution à l'essor de l'industrie touristique, compte tenu du fait que la *Petite Maison blanche* soit appelée à devenir une attraction majeure[4] ».

Les séquelles du déluge, que symbolise la désormais célèbre demeure, exercent un pouvoir d'attraction considérable. En 1997, quelque 100 000 personnes[5] se sont rendues dans le secteur du Bassin pour admirer l'impressionnante *Petite Maison blanche*.

Dans le but d'apporter une contribution additionnelle à la renommée de la maison, la direction du *Progrès du Saguenay* propose de l'intégrer dans le logo de ses deux

3. *Op. cit.*
4. *Op. cit.*
5. *Le Réveil de Chicoutimi*, 26 avril 1998.

publications. Ainsi, les lecteurs du *Progrès Dimanche* peuvent voir, dans l'édition du 3 mai 1998, la petite maison sur un massif de roc intégré dans le logotype rouge, blanc et noir de sa première page. Le lendemain, les habitués du *Quotidien* aperçoivent la maisonnette dans la lettre « O » du nom de leur journal.

Quelques mois plus tard, l'entreprise *Le Progrès du Saguenay*, qui détient toujours les droits de la petite maison, autorise la corporation du Carnaval Souvenir à l'intégrer à son logo. « Le logo créé par le graphiste Bernard Gagné affiche toujours une lampe à l'huile, mais ajoute : la *Petite Maison blanche*, qui est entourée d'un ruban épousant la forme d'un « C » et dont les couleurs symbolisent la forêt, l'agriculture, l'aluminium et les bleuets[6] », principales ressources de la région.

Pendant ce temps, les élus municipaux ont réfléchi à la vocation future de cette partie du Bassin où toute habitation permanente sera désormais interdite, le secteur étant maintenant considéré comme zone inondable.

L'option retenue est de transformer ce site en un parc thématique commémorant le déluge, où la *Petite Maison blanche* trônerait en reine. Après de longues démarches, on s'entend finalement sur les plans du projet. Le comité restreint qui a travaillé à la conception du projet préconise « des interventions sobres et peu coûteuses qui devraient favoriser la vie de quartier dans un cadre sécuritaire, tout

---

6. *La Presse*, samedi 17 octobre 1998.

en conservant son cachet ». Le coût du projet est évalué à environ 4 millions de dollars.

L'aménagement des abords de la *Petite Maison blanche* sera la première étape d'un développement intégré de tout le secteur du Bassin, qui devrait éventuellement permettre de relier ce dernier à la Pulperie et au Vieux-Port, deux autres sites touristiques attrayants de la ville.

Le 12 septembre 1998, sous la pluie, comme pour rappeler les événements de juillet 1996, le nouveau maire de Chicoutimi, M. Jean Tremblay, procède à « la première pelletée de terre » qui marque le début des travaux de réfection du Bassin de Chicoutimi et d'aménagement du parc thématique.

Le 24 juillet 1999, exactement trois ans après le mémorable déluge, la *Petite Maison blanche* est de nouveau entourée d'eau, mais cette fois pour le plus grand plaisir de la population.

L'aménagement du parc thématique du Bassin de Chicoutimi est terminé. Sous le chaud soleil estival, de nombreux touristes et résidants admirent le symbole du courage et de la solidarité des gens de la région dans son tout nouveau contexte.

Les concepteurs ont voulu recréer, avec la *Petite Maison blanche* baignant dans un lac et des cascades d'eau jaillissant des roches, l'image, en miniature, du déluge. L'effet est réussi. De toute beauté le jour, le site n'est pas moins impressionnant le soir, sous l'effet des jets de lumière.

Le parc dans son ensemble ne manque pas non plus d'intérêt. Les installations sont orchestrées avec goût et tous les éléments ont été pensés pour être harmonieusement intégrés au site. Ainsi, de nombreux détails de l'église Sacré-Cœur sont reproduits dans le parc : les pics en aluminium des clôtures qui sont caractéristiques de son clocher, les colonnes de pierre qui imitent son revêtement extérieur et les mains courantes en bois qui rappellent les bancs de l'édifice religieux.

Les maisons qui ont été emportées par le déluge n'ont pas été oubliées. Des plaques portant leur numéro civique ont été posées là où celles-ci se dressaient. Les fondations de certaines de ces maisons sont d'ailleurs encore visibles dans le roc.

Au pied de la maison blanche, une promenade en pierre, jalonnée de lampadaires rustiques, mène à deux jolis kiosques aux toits cuivrés. De vastes espaces gazonnés, des arbres, des tables, des bancs ainsi qu'une aire de jeux pour les enfants complètent agréablement l'aménagement du parc.

Cette réalisation est le résultat de la collaboration non seulement des fonctionnaires, des ingénieurs et des architectes, mais également des citoyens du quartier. Le nouvel aménagement a le mérite de conférer au secteur une vocation récréo-touristique, tout en mettant en valeur la *Petite Maison blanche*.

L'humoriste Michel Barrette, d'origine saguenéenne,
constate sur place la solidité des fondations de la *Petite Maison blanche*.
(Photo : *Le Quotidien du Saguenay–Lac-Saint-Jean*, 15 octobre 1996.)

Pendant 96 ans, la petite maison blanche du 441, rue Gédéon est restée dans l'anonymat, puis un matin de juillet, elle est apparue au monde entier. Tenace, inébranlable, la demeure, en apparence fragile, a refusé de se laisser emporter par les flots déchaînés.

Devenue un symbole de courage et de détermination, la maison devait absolument être conservée. On a réaménagé son environnement, puis on s'est affairé à la rénover. Il fallait bien l'enjoliver pour la grande occasion :

En l'an 2000, on a fêté ses 100 ans !

La cuisine
de la Petite Maison blanche

Dans les pages suivantes,
nous vous proposons quelques-unes
des recettes que Jeanne-d'Arc,
Philomène (mère de Jeanne-d'Arc),
Clara (mère d'Alyre)
et Rose-Délima (grand-mère d'Alyre)
nous ont laissées.

Bon appétit !

Afin de faciliter la compréhension des recettes, nous avons indiqué les équivalences en système métrique des mesures du système impérial anglais.

Tarte à la farlouche*
de Philomène

½ tasse (125 ml) de raisins secs
2 tasses (500 ml) d'eau
2 tasses (500 ml) de cassonade
3 à 4 c. à table (45 à 60 ml) de fécule de maïs
1 fond de tarte de 9 pouces (23 cm), non cuit

Dans une casserole, mélanger les raisins, l'eau et la cassonade. Laisser bouillir lentement à feu doux, jusqu'à ce que les raisins soient amollis. Ajouter la fécule de maïs, préalablement délayée dans un peu d'eau, à la préparation aux raisins. Laisser bouillir en remuant constamment, jusqu'à ce que le tout soit épaissi. Verser dans le fond de tarte non cuit. (On peut placer des lisières de pâte sur le dessus de la préparation à la farlouche.) Mettre au four à 450 °F (230 °C) jusqu'à ce que le fond de tarte soit cuit.

---

* On dit aussi « forlouche » ou « ferluche ».

Tire blanche de la Sainte-Catherine de Rose-Délima

3 tasses (750 ml) de sucre blanc
1 tasse (250 ml) d'eau
⅝ tasse (156 ml) de sirop de maïs
2 c. à table (30 ml) de vinaigre blanc

Mélanger tous les ingrédients et cuire sur un feu chaud à 255 °F (130 °C). (Surveiller pour ne pas laisser prendre au fond. Vérifier de temps en temps la consistance en mettant un peu de tire dans un bol d'eau froide. La tire aura assez bouilli lorsqu'elle durcira au contact de l'eau froide.) Verser dans un plat peu profond, beurré et s'installer dans un endroit froid si possible. Dès que le mélange a refroidi suffisamment (pas trop), le prendre en une seule fois et l'étirer vivement avec les mains graissées de beurre. Il faut tirer le plus fort possible (parfois à deux), jusqu'à ce que la tire perde son lustre. Couper en morceaux de 1 pouce (2,5 cm) le long cordon obtenu ; mettre au froid quelques minutes pour faire durcir la tire.

Tire brune de la Sainte-Catherine de Rose-Délima

½ tasse (125 ml) de sucre blanc
2 tasses (500 ml) de mélasse
2 c. à thé (10 ml) de vinaigre blanc
1 c. à thé (5 ml) de beurre
1 c. à thé (5 ml) de vanille

Mélanger tous les ingrédients dans une casserole épaisse. Faire cuire à feu lent environ 30 minutes. (Vérifier de temps en temps la consistance en mettant un peu de tire dans un bol d'eau froide. La tire aura assez bouilli lorsqu'elle durcira au contact de l'eau froide.) Verser dans un plat peu profond, beurré et s'installer dans un endroit froid si possible. Dès que le mélange a refroidi suffisamment (pas trop), le prendre en une seule fois et l'étirer vivement avec les mains graissées de beurre. Il faut tirer le plus fort possible (parfois à deux), jusqu'à ce que la tire devienne poreuse et pâle. Couper en morceaux de 1 pouce (2,5 cm) le long cordon obtenu ; mettre au froid quelques minutes pour faire durcir la tire.

Bûche de Noël
de Clara

1 tasse (250 ml) de farine
1 c. à thé (5 ml) de poudre à pâte (levure chimique)
¼ c. à thé (1 ml) de sel
4 œufs
¼ tasse (62,5 ml) d'eau
1 c. à thé (5 ml) de jus de citron
1 tasse (250 ml) de sucre

Graisser légèrement un moule de 15 x 10 x ¾ pouces
(38 x 25 x 2 cm). Tapisser de papier ciré et graisser à nouveau.
Mélanger la farine, la poudre à pâte et le sel. Fouetter les œufs et
l'eau jusqu'à consistance épaisse et de couleur citron. Ajouter le
jus de citron. Incorporer graduellement le sucre et brasser jusqu'à
consistance très épaisse. Verser en 4 fois les ingrédients secs
tamisés (farine, sel et poudre à pâte) sur le mélange aux œufs
(plier délicatement après chaque addition). Verser dans le moule
à gâteau préparé. Mettre au four à 400 °F (200 °C) de 12 à
15 minutes ou jusqu'à ce que le dessus soit doré. Au sortir du
four, renverser immédiatement sur une serviette de ratine
saupoudrée de sucre à glacer. Enlever le papier ciré et enrouler le
gâteau dans la serviette. Laisser refroidir complètement. Dérouler
le gâteau, étendre de la confiture aux fraises et rouler à nouveau.

Dinde de Noël farcie
de Jeanne-d'Arc

1 dinde éviscérée d'au moins 16 livres (7,3 kg)
Farce (voir page suivante)
1 ½ tasse (375 ml) de beurre
1 c. à table (15 ml) de moutarde sèche
1 gros oignon
Sel et poivre
½ tasse (125 ml) d'eau

Introduire la farce à l'intérieur de la volaille. Ramener la peau du cou pour refermer. Coudre avec du gros fil. Badigeonner la dinde du mélange beurre et moutarde sèche. Saler, poivrer et recouvrir de rondelles d'oignon. Coucher la dinde sur le dos, dans une rôtissoire et ajouter l'eau. Mettre au four à 325 °F (160 °C) environ 6 heures pour une dinde de 16 livres (7,3 kg). Arroser la dinde de son jus régulièrement durant la cuisson.

Farce pour la dinde de Noël de Jeanne-d'Arc

Abats de la dinde (cœur, foie, gésier)
½ livre (250 g) de veau haché
½ livre (250 g) de porc haché
¼ livre (125 g) de bœuf haché
1 petit oignon
¼ c. à thé (1 ml) de cannelle
⅛ c. à thé (0,5 ml) de poudre d'ail
⅛ c. à thé (0,5 ml) d'épices mélangées
⅛ c. à thé (0,5 ml) de sel de céleri
⅛ c. à thé (0,5 ml) de clou de girofle
⅛ c. à thé (0,5 ml) de sel
⅛ c. à thé (0,5 ml) de poivre
1 tasse (250 ml) de chapelure (4 tranches de pain séchées et 4 biscuits soda — petits biscuits apéritifs nature)

Retirer les abats de la dinde. Enlever la membrane qui les recouvre et hacher en petits morceaux très fins. Mélanger au bœuf, au veau et au porc hachés. Ajouter un oignon haché finement et les épices. Ajouter la chapelure (4 tranches de pain séché au four et 4 biscuits soda écrasés à l'aide d'un rouleau à pâtisserie). Façonner le tout en une boule lisse, prête à être introduite dans la dinde.

Ragoût de noce
de Philomène

½ livre (250 g) de bœuf à bouillir
2 poitrines de poulet
1 ½ livre (750 g) de porc haché maigre
5 pintes (5,7 l) d'eau
6 à 8 petites patates
3 oignons
Sel, poivre
Poudre d'ail
1 tasse (250 ml) de farine

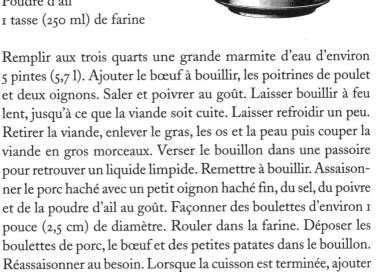

Remplir aux trois quarts une grande marmite d'eau d'environ
5 pintes (5,7 l). Ajouter le bœuf à bouillir, les poitrines de poulet
et deux oignons. Saler et poivrer au goût. Laisser bouillir à feu
lent, jusqu'à ce que la viande soit cuite. Laisser refroidir un peu.
Retirer la viande, enlever le gras, les os et la peau puis couper la
viande en gros morceaux. Verser le bouillon dans une passoire
pour retrouver un liquide limpide. Remettre à bouillir. Assaison-
ner le porc haché avec un petit oignon haché fin, du sel, du poivre
et de la poudre d'ail au goût. Façonner des boulettes d'environ 1
pouce (2,5 cm) de diamètre. Rouler dans la farine. Déposer les
boulettes de porc, le bœuf et des petites patates dans le bouillon.
Réassaisonner au besoin. Lorsque la cuisson est terminée, ajouter
le poulet. Épaissir avec de la farine délayée dans de l'eau froide.
Continuer la cuisson jusqu'à ce que le ragoût soit bien épaissi.
Servir avec du pain frais.

Table